100 CARTAS ADMINISTRATIVAS

NO LONGER ... PROPERTY OF
LONG BEACH PUBLIC LIBRARY

De Vecchi

A pesar de haber puesto el máximo cuidado en la redacción de esta obra, el autor o el editor no pueden en modo alguno responsabilizarse por las informaciones (fórmulas, recetas, técnicas, etc.) vertidas en el texto. Se aconseja, en el caso de problemas específicos —a menudo únicos— de cada lector en particular, que se consulte con una persona cualificada para obtener las informaciones más completas, más exactas y lo más actualizadas posible. EDITORIAL DE VECCHI, S. A. U.

Diseño gráfico de la cubierta: © YES.

Fotografías de la cubierta: © iStockophoto.

Balmes, 114 - 08008 Barcelona
Depósito Legal: B. 32.144-2009
ISBN: 978-84-315-4125-5

Editorial De Vecchi, S. A. de C. V.
Nogal, 16 Col. Sta. María Ribera
06400 Delegación Cuauhtémoc
México

Índice

Introducción

Si las normas de calidad para las comunicaciones escritas que desarrollaremos a continuación son aplicables, en mayor o menor grado, a todos los escritos, resultan absolutamente imprescindibles cuando se trata de correspondencia que se sale del ámbito de lo particular. Cuando redactamos un escrito dirigido a una institución oficial o relacionada con ella, casi nunca deseamos expresar sentimientos. La finalidad de este tipo de correspondencia es meramente funcional. Debemos seguir, en la medida de lo posible, las siguientes normas básicas:

- **Orden (estructural).** No podemos redactar el escrito de forma espontánea, que refleje el fluir de las ideas en nuestra mente. Todo escrito debe seguir un orden estructural: fecha, encabezamiento, introducción, cuerpo (asunto o tema de la comunicación escrita), despedida y firma.

- **Claridad.** La claridad es condición indispensable. En general, diremos que un escrito será claro cuando no se preste más que a una sola interpretación. Así, por ejemplo, en el lenguaje jurídico, habitual en la correspondencia administrativa, tendemos a las oraciones subordinadas, la ausencia de pausas y el vocabulario enrevesado, lo que dificulta la comprensión.

- **Concisión.** No debemos extendernos innecesariamente en nuestros escritos, ya que suponen una pérdida de tiempo tanto para el que los redacta como para el que debe leerlos. La concisión, además, contribuye a la claridad. Si queremos tratar varios temas, haremos entre ellos una separación razonable que no alargue el texto sino que ayude a clarificar las ideas.

- **Consideración.** Nuestros escritos deben ser pensados y bien meditados. No redactaremos jamás sin convencimiento y conocimiento plenos de lo que queremos expresar.

- **Compleción.** En nuestros escritos no podemos omitir detalles o ideas importantes. Si nuestras cartas no son completas, podemos crear en el lector confusiones lamentables u omisiones importantes en el cumplimiento del encargo o en la comprensión total del escrito. Esto último aún tiene más relevancia cuando hablamos de correspondencia administrativa.

- **Cortesía y diplomacia.** La educación y las buenas formas deberán estar siempre presentes en nuestros escritos, serán norma esencial de nuestra correspondencia. Un escrito descortés produce una impresión sumamente negativa a quien la recibe. Si tenemos motivos para escribir un texto negando, reclamando o señalando algún error, debemos intentar hacerlo sin herir los sentimientos del destinatario. Si la cortesía y la diplomacia faltan en nuestros escritos, provocaremos, en muchas ocasiones, efectos contrarios en nuestros lectores, que no los acogerán con la atención que se merecen.

- **Presentación.** La apariencia de un escrito refleja nuestra forma de ser, es como nuestra tarjeta de visita, que nos puede abrir o cerrar puertas. Así como las personas deben presentarse correctamente vestidas y aseadas para agradar, los escritos deben gozar de un aspecto atractivo y pulcro tanto por el papel utilizado como por el membrete y por el escrito en sí, que debe estar bien distribuido, con sus apartados, puntos y aparte, párrafos, márgenes adecuados, etc. Así pues, entregaremos siempre nuestros escritos impecables.

Para el caso de los escritos dirigidos a gestorías, es corriente utilizar el correo electrónico; en el resto de los casos, esto no es lo común. Debemos señalar también que hoy en día la Administración Pública está implementando un sistema de formularios por internet.

Gestorías, abogados y procuradores

Muchas de las gestiones de la vida diaria las podemos hacer nosotros mismos dirigiéndonos directamente a los organismos competentes, pero hay algunas en las que necesitaremos los servicios de una gestoría, un procurador o un abogado. En esta sección nos ocuparemos de la correspondencia dirigida a estas figuras. De entre todos los modelos de correspondencia administrativa, estos son los menos rígidos.

1 | Solicitud de la partida de nacimiento

[lugar y fecha]

[Nombre del gestor o de la gestoría]

Sr. D. ...

Agradecería mucho me hiciera llegar, contra reembolso, mi partida de nacimiento legalizada.
Mis datos son los siguientes:

— Nombre: ...
— Apellidos: ...
— Nacido en ...
— Provincia de ...
— Fecha: ...
— Nombre del padre: ...
— Nombre de la madre: ...

En espera de sus noticias, le saluda atentamente,

[firma]

2 | Solicitud de la partida de bautismo

[lugar y fecha]

Rvdo. D. ...
Párroco de ...

Le agradecería me enviara una partida de bautismo, necesaria para la tramitación de mis papeles para contraer matrimonio. Mis datos son los siguientes:

— Nombre: ...
— Apellidos: ...
— Nombre del padre: ...
— Nombre de la madre: ...
— Fecha aproximada del bautizo: ...

Le ruego me la envíe, contra reembolso. a la dirección que figura en el remite.

Gracias por su atención y reciba un cordial saludo.

[firma]

3 | Solicitud de la partida de confirmación

[lugar y fecha]

Rvdo. D. ...
Párroco de ...

Le agradecería me enviara lo antes posible, y contra reembolso, una partida de confirmación de mi hijo ... [nombre y apellidos], celebrada el año ... y cuya fecha exacta no puedo recordar.

Le doy las gracias anticipadas y le saludo atentamente.

[firma]

4 | Solicitud del certificado de penales

[lugar y fecha]

[NOMBRE DEL GESTOR O DE LA GESTORÍA]

Agradecería que me enviaran lo antes posible un certificado de penales para el pasaporte.
Mis datos personales son los siguientes:

— Nombre: ...
— Apellidos: ...
— DNI: ...
— Edad: ...
— Natural de ...
— Nombre del padre: ...
— Nombre de la madre: ...

Puede enviármelo contra reembolso.

Agradecido de antemano, le saluda atentamente,

[firma]

5 | Solicitud de tramitación del pasaporte

[lugar y fecha]

[NOMBRE DEL GESTOR O DE LA GESTORÍA]

Les ruego me tramiten un pasaporte nuevo, ya que el actual me caducará aproximadamente dentro de un mes.
Les adjunto las fotografías necesarias y les agradecería que me hagan llegar por correo los impresos que debo firmar.
Desearía que me comunicaran con cierta antelación el día concreto que debemos encontrarnos en la Jefatura de Policía, en la sección de pasaportes, para la firma del documento.

Atentamente les saluda,

[firma]

6 | Solicitud de tramitación de la renovación del carné de conducir

[lugar y fecha]

[NOMBRE DEL GESTOR O DE LA GESTORÍA]

Estoy en posesión del permiso de conducir B1 desde el año ... Dentro de pocas semanas me caduca, por lo que les agradecería se hicieran cargo de tramitarme la renovación.
Mis datos son los siguientes:

— Nombre: ...
— Apellidos: ...
— Lugar y fecha de nacimiento: ...
— Domicilio: ...
— N.º del carné de conducir: ...
— Expedido en ... con fecha ...

En espera de sus noticias, les saludo atentamente.

[firma]

7 | Solicitud de tramitación del pago del impuesto de circulación

[lugar y fecha]

[NOMBRE DEL GESTOR O DE LA GESTORÍA]

Les agradecería se hicieran cargo del pago del impuesto de circulación de mi vehículo marca ..., de CV ..., con matrícula ..., a nombre de ..., con domicilio en ... de ...
Los gastos serán abonados en el momento de la recepción de los documentos, contra reembolso.

Atentamente les saluda,

[firma]

8 | Solicitud de tramitación de la declaración de la renta

[lugar y fecha]

[NOMBRE DEL GESTOR O DE LA GESTORÍA]

A la atención del Sr. ...

Le adjunto los impresos, debidamente cumplimentados, según me indicó, referentes a la declaración de la renta, para que los presente, en el momento oportuno, en la delegación de Hacienda correspondiente.
Ruego me comunique si falta algún documento para proceder a su rápida cumplimentación y envío.

Reciba un cordial saludo.

[firma]

9 | Solicitud de tramitación del carné de familia numerosa

[lugar y fecha]

[NOMBRE DEL GESTOR O DE LA GESTORÍA]

Les agradecería se hicieran cargo de la tramitación de mi carné de familia numerosa, para lo cual les ruego que tengan a bien enviarme los formularios que deba rellenar y los documentos que tienen que acompañarles.
Pagaré sus servicios al recibir el carné, contra reembolso.

Gracias anticipadas y un atento saludo.

[firma]

10 | Solicitud de información acerca de la situación legal de una vivienda

[lugar y fecha]

[NOMBRE DEL GESTOR O DE LA GESTORÍA]

Estoy tramitando la compra de una vivienda situada en la finca de la calle ..., número ..., piso ... de ... Les agradecería comprobaran en el registro de la propiedad inmobiliaria el nombre del propietario actual de dicha vivienda y si no hay ningún aplazamiento de pago o deuda pendiente sobre ella.
Les ruego la máxima diligencia en este trámite y se lo agradezco de antemano.

Atentamente,

[firma]

11 | Modelo de hoja de encargo profesional a un abogado

Don. ..., con domicilio en ..., calle ..., n.º ..., piso ..., C. P. ..., n.º de teléfono ... y con NIF/DNI ... y vecindad civil ..., actuando en nombre propio, encarga al abogado don ..., perteneciente al despacho ..., colegiado en ejercicio n.º ..., del Ilustre Colegio de Abogados de ... [localidad], con despacho profesional en ..., calle ..., n.º ..., piso..., C. P. ..., n.º de teléfono ..., n.º de fax ..., dirección de correo electrónico ... y con NIF/DNI n.º ..., la realización de los siguientes trabajos profesionales:
[descripción de los servicios a realizar]

La ejecución de dichos trabajos profesionales se efectuará en régimen de arrendamiento de servicios, con arreglo a las normas deontológicas de la Abogacía y a las cláusulas previstas en esta hoja de encargo profesional, que son las siguientes:

1.ª La cuantía del encargo se fija provisionalmente en la cantidad de ... euros, sin perjuicio de la que resulte en su momento.
2.ª Los honorarios profesionales del abogado que recibe el encargo se presupuestan en la cantidad de ... euros, de los que se entregarán en concepto de provisión de fondos un ... % (equivalente a ... euros) en el plazo de ... días desde la fecha de sus-

cripción de esta hoja de encargo, sin cuyo pago la misma no tendrá validez.
3.ª Los honorarios presupuestados no incluyen los correspondientes al procurador ni a los peritos u otros profesionales que deban intervenir, en su caso, para el buen fin del encargo. Tampoco incluyen los gastos por desplazamientos o de otra naturaleza ni los suplidos que puedan ocasionarse en la ejecución de los trabajos de este encargo, todo lo cual será, en su caso, objeto de una factura especificada y detallada.
4.ª El presente presupuesto tiene carácter indicativo, conviniendo los firmantes que el cálculo de la minuta definitiva se hará atendiendo a los siguientes criterios ...
5.ª En el caso de que la naturaleza de las actuaciones procesales necesarias lo permitan, el percibo de los honorarios se efectuará a razón del 60 % al término de la fase de alegaciones, el 25% al término de la fase probatoria y el resto a la conclusión de la instancia.
6.ª La minuta de honorarios definitiva estará sujeta al régimen fiscal de retenciones e IVA procedentes y, en caso de disconformidad del cliente con su importe, podrá optar por ejercitar las acciones judiciales que le asistan o por impugnarla ante la junta de gobierno del Ilustre Colegio de Abogados de ... [localidad], sometiéndose a su decisión arbitral, que el letrado desde este momento acepta, obligándose a acatar y cumplir su resolución.
7.ª Otras observaciones adicionales: ...

En ..., a ... [día] de ... [mes] de 20...

[firma del cliente] [firma del abogado]

Recibida provisión de fondos por importe de ... euros.

En ..., a ... [día] de ... [mes] de 20...

[firma del abogado]

Administración pública

Todo ciudadano puede dirigirse individualmente a cualquier organismo que forme parte de la Administración Pública. Aunque no se exige un modelo en especial, lo más común y aconsejable es utilizar el formato de la instancia, bastante clara en su esquema.

En este tipo de escritos debemos hacer un sobreesfuerzo para utilizar un lenguaje claro, a pesar de que ya la misma idiosincrasia de la Administración nos empuje a lo contrario.

12 | Solicitud al ayuntamiento de licencia de apertura de establecimiento

[AYUNTAMIENTO DE ...]
ÁREA DE COMERCIO

Ilmo. Sr. Concejal:

D. ..., mayor de edad, de profesión ..., domiciliado en ..., calle ..., n.º ..., provisto del DNI n.º ...,

EXPONE: Que desea abrir un local destinado al ejercicio del comercio de ..., sujeto al epígrafe n.º ... del impuesto sobre actividades económicas, en la calle ..., n.º ...

SUPLICA: Que, teniendo por presentado este escrito, lo admita y, a su tenor, le conceda la licencia de apertura del comercio solicitada.

Atentamente,

[lugar y fecha]

[firma]

13 | Solicitud al ayuntamiento de una subvención para una escuela

[AYUNTAMIENTO DE ...]
ÁREA DE EDUCACIÓN

Ilmo. Sr. Concejal:

D. ..., mayor de edad, con domicilio en ..., calle ..., n.º ..., provisto del DNI n.º ..., actuando como director de la escuela ..., ubicada en la calle ... de ...,

EXPONE:

1.º Que conforme se detalla en la memoria adjunta, el próximo mes de ..., coincidiendo con la inauguración del curso académico, abrirá sus aulas la antes indicada escuela ...; apoyada con firmas y personalidades de gran prestigio, la nueva escuela no pretende sino coadyuvar a la promoción de ...
2.º Que carece, por el momento, de amplias disponibilidades económicas, por lo que requiere, para su puesta en marcha, subvenciones de todo tipo, especialmente las de orden municipal.

Por todo lo cual,

SOLICITA:

Que, tras los trámites oportunos, se sirva ordenar la concesión a la escuela ... de una subvención de ... euros, en atención a sus necesidades, así como a los grandes beneficios que para el municipio importa la existencia de la indicada escuela.

Atentamente,

[lugar y fecha]

[firma]

14 | Solicitud de empadronamiento

[AYUNTAMIENTO DE ...]
OFICINA DE LA ALCALDÍA

Excmo. Sr. Alcalde:

D. ..., mayor de edad, domiciliado en ..., calle ..., n.º ..., provisto del DNI n.º ...

EXPONE: Que tanto el solicitante como su esposa, D.ª ... [nombre y apellidos], y el hijo de ambos, ... [nombre], desean darse de alta en el padrón de habitantes de esta ciudad.

SUPLICA: Que, habiendo presentado este escrito, junto con la documentación que se acompaña, lo admita y, a su tenor, les conceda al instante el alta en el padrón de habitantes.

Atentamente,

[lugar y fecha] [firma]

15 | Solicitud de acceso a las pruebas para mayores de veinticinco años

[lugar y fecha]

[UNIVERSIDAD DE ...]
RECTORÍA

Excmo. Sr. Rector:

D. ..., mayor de edad, con domicilio en ..., calle ..., n.º ..., piso ..., provisto de DNI n.º ...,

EXPONE: Que reúne los requisitos de edad, estudios previos y nacionalidad requeridos para la admisión en las pruebas de acceso a la Universidad para mayores de veinticinco años.

SOLICITA: Que, habiendo presentado este escrito, lo admita y, a su tenor, le conceda la admisión que le solicita.

Atentamente le saluda,

[firma]

16 | Solicitud de obras mayores

[AYUNTAMIENTO DE ...]
OFICINA DE LA ALCALDÍA

Excmo. Sr. Alcalde:

D. ..., mayor de edad, domiciliado en ..., calle ..., n.º ..., provisto del DNI n.º ...

EXPONE: Que pretende construir un edificio en la calle ..., en el solar que corresponde a los números ..., destinado a viviendas, según plano que adjunto se acompaña, y bajo la dirección del arquitecto D. ... y del aparejador D. ..., y por el contratista D. ..., provisto del carné de empresa n.º ... y alta de licencia fiscal.

SUPLICA: Que, teniendo por presentado este escrito, junto con la documentación que se acompaña, lo admita; tenga a bien hechas las manifestaciones de él y, a su tenor, le sea concedida la licencia de obras de construcción del edificio solicitado.

Atentamente,

[lugar y fecha]

[firma]

17 | Solicitud de permiso de derribo

[AYUNTAMIENTO DE ...]
OFICINA DE LA ALCALDÍA

Excmo. Sr. Alcalde:

D. ..., mayor de edad, domiciliado en ..., calle ..., n.º ..., provisto del DNI n.º ...

EXPONE: Que posee un inmueble en estado ruinoso, sito en la calle ..., número ..., de esta ciudad, usado hasta hace poco como almacén de pintura, al que las pasadas lluvias torrenciales han causado graves daños y lo han dejado inhabitable. Por todo lo cual,

SOLICITA: Que, dada la peligrosidad que representa el estado actual del citado inmueble, se sirva dar el permiso oportuno para que pueda procederse de inmediato al derribo del mismo.

Atentamente,

[lugar y fecha]

[firma]

18 | Solicitud de licencia de obras menores

[AYUNTAMIENTO DE ...]
OFICINA DE LA ALCALDÍA

Excmo. Sr. Alcalde:

D. ..., mayor de edad, con domicilio en ..., calle..., n.º..., con DNI n.º ...

EXPONE: Que desea hacer algunas reformas en el inmueble en que habita, consistentes en la instalación de un nuevo baño y en la habilitación de los bajos como garaje.
Por todo lo cual,

SOLICITA: Que, tras los trámites oportunos, se sirva conceder la licencia de obras correspondiente para iniciar dichos trabajos.

Atentamente,

[lugar y fecha]

[firma]

19 | Solicitud de colaboración o patronazgo

[lugar y fecha]

[NOMBRE DE LA INSTITUCIÓN. SECCIÓN O DEPARTAMENTO]

Distinguidos señores:

De todos es conocida la gran labor que ustedes vienen desarrollando, desde hace ya varios años, de promoción turística de pueblos y lugares, con singular belleza y personalidad, que permanecían ignorados tanto en el extranjero como en nuestro propio país. Es por este motivo por lo que les escribo esta carta.
Existe un pequeño pueblo, en la provincia de ..., llamado ..., con varias edificaciones pertenecientes a los siglos XVII y XVIII, desgraciadamente en muy mal estado de conservación. Incrementa el interés del lugar un buen número de jóvenes dedicados a la artesanía.
Desearía saber si podríamos contar con la ayuda y la colaboración de ustedes para iniciar el desarrollo turístico de la zona.

En espera de sus noticias y con la seguridad de que tomarán el máximo interés en el asunto, me despido con mi más atento saludo.

[firma]

20 Carta de agradecimiento a una autoridad

[lugar y fecha]

[NOMBRE DE LA INSTITUCIÓN. SECCIÓN O DEPARTAMENTO]
[NOMBRE DEL DESTINATARIO]

Distinguido señor:

En nombre de la directiva y de toda la plantilla de nuestra factoría de ..., situada en ..., y que usted visitó hace aproximadamente un mes, me gustaría agradecerle el interés que ha demostrado por su puesta en marcha, desde que tuvo conocimiento del proyecto, y que ha hecho posible la realización de una obra tan necesaria.
Creo, sinceramente, que obtendremos inmejorables resultados, ya que son muchos los factores que se unen al propósito de que así sea: en primer lugar, la entidad promotora, que, con una clara visión de las necesidades de la comarca en particular, y del país en general, puso todos sus esfuerzos para lograr una rápida puesta en marcha; después, el cuadro de técnicos escogido con suma atención, que une a su competencia un interés digno de alabar, y por último, los productores —tanto peones como especializados—, que encuentran puestos de trabajo en la propia localidad.

Gracias, una vez más, por su interés.
En espera de verle de nuevo entre nosotros, le saluda cordialmente,

[firma]

21 Derecho de petición

[PRESIDENCIA DEL GOBIERNO]

Excmo. Sr. Presidente del Gobierno:

D.ª ..., mayor de edad, viuda, con domicilio en ..., calle ..., n.º ..., de ... años de edad,

EXPONE: Que percibe una pensión de viudedad de la Seguridad Social de ... euros mensuales. Que viviendo como vive, sola, y no pudiendo tener otro ingreso que el de la referencia, y hallándose desamparada de sus familiares y amigos, y no pudiendo hacer frente a los gastos de supervivencias mínimos, dada la exigüidad de los ... euros mensuales y el coste de las necesidades que tiene, acude a usted como único recurso, y en su virtud

SUPLICA: Que, vista la instancia presentada, sea atendida en virtud de las circunstancias desesperadas en las que se encuentra.

Atentamente,

De ... [localidad de origen] para Madrid, a ... de ... de 20 ...

[firma]

22 Notificación de la retirada de un rótulo luminoso

[lugar y fecha]

[AYUNTAMIENTO DE ...]
ÁREA DE VÍA PÚBLICA

D. ..., domiciliado en ..., calle ..., teléfono n.º ..., con DNI n.º ..., expedido en ..., con fecha ...

DECLARA BAJO SU RESPONSABILIDAD que ha retirado el anuncio luminoso que figuraba en la entrada de su establecimiento, sito en la calle ..., n.º ..., con la leyenda de «...» [texto del anuncio], a efectos de que sea dado de baja del padrón de la tasa correspondiente.

[firma]

23 Declaración jurada del arbitrio de plusvalía

[lugar y fecha]

[AYUNTAMIENTO DE ...]
ÁREA DE URBANISMO

D. ..., mayor de edad, domiciliado en ..., calle ..., n.º ..., piso ..., provisto de DNI n.º ..., en nombre propio,

DECLARA BAJO JURAMENTO, por duplicado y con devolución de su copia, a efectos de liquidación, si procede, del arbitrio de plusvalía, y formula los siguientes datos:

a) Clase de finca transmitida: ...
b) Situación y linderos: ...
c) Superficie: ...
d) Participación de la misma que se transmite: ...
e) Naturaleza del derecho transmitido:

— Usufructo:
Duración [si es temporal]: ...
Edad del usufructuario [si es vitalicio]: ...

— Propiedad horizontal:
Superficie total del terreno edificado: ...
Coeficiente de los elementos comunes: ...

— Herencia:
Relación del parentesco con el transmitente: ...
Tipo de impuesto de sucesiones: ...

f) Fecha de la transmisión anterior: ...
g) Fecha de la transmisión actual: ...
h) Transmisor [nombre y apellidos]: ...
i) Notario autorizante: ...
j) Fecha de la escritura o documento acreditativo: ...
k) Inscripción en el registro de la propiedad: ...
Tomo ... Libro ... Sección ... Folio ... Finca ... Inscripción ... Anotación preventiva ...
l) Observaciones: ...

[firma]

24 | Reclamación acerca de la aplicación de contribuciones especiales

[AYUNTAMIENTO DE ...]
ÁREA DE URBANISMO

Ilmo. Sr. Concejal:

D. ..., domiciliado en ..., calle ..., n.º ..., con DNI n.º ...,

EXPONE: Que habiéndose expuesto al público, en el Boletín Oficial de la Provincia, n.º ..., con fecha ..., el expediente de aplicación de contribuciones especiales de la calle ..., en la que figura el reclamante, con una cuota de ... euros.
Que, examinando el expediente, ha podido comprobar un error de hecho en la medición de la largura de la fachada de mi propiedad ya que, siendo esta de ... metros, equivocadamente se me han puesto ... metros.
Que suponiendo todo ello una modificación o alteración de la cuota asignada,

SOLICITA: Que teniendo por presentado este escrito, se tenga por interpuesta reclamación contra la cuota asignada, se tengan por hechas las manifestaciones del cuerpo del escrito y, a su tenor, se subsane el error denunciado, y con él la cuota asignada.

... [localidad], a ... de ... de 20...

[firma]

25 | Reclamación por haber sido excluido en una oposición

[AYUNTAMIENTO DE ...]
OFICINA DE LA ALCALDÍA

Excmo. Sr. Alcalde:

D. ..., domiciliado en ..., calle ..., n.º ..., con DNI n.º ...,

EXPONE: Que habiéndose publicado en el BOE de fecha ... la lista provisional de admitidos y excluidos en la oposición convocada por esa corporación, con fecha ..., para auxiliares del grupo de Administración General, y apareciendo excluido de la misma, sin razón o fundamento que lo justifique, ya que considera que reúne y cumple los requisitos formales exigidos,

SOLICITA: Que teniendo por presentado este escrito y, a su tenor, se proceda a rectificar la lista de admitidos y excluidos, incluyéndole en los primeros y excluyéndole de los segundos.

... [localidad], a ... de ... de 20...

[firma]

26 | Carta de protesta por ruidos en la vía pública

[AYUNTAMIENTO DE ...]
ÁREA DE VÍA PÚBLICA

Ilmo. Sr. Concejal:

Como presidente de la comunidad de propietarios del edificio sito en la calle ... n.º ... de esta ciudad, me dirijo a usted para rogarle tome las disposiciones oportunas para solucionar el problema que nos afecta desde hace algunos meses. A principios de verano se abrió un bar, en los bajos del edificio anexo a nuestra casa. Parece que el establecimiento ha tenido mucho éxito entre chicos jóvenes, que lo han convertido en su punto de reunión hasta altas horas de la madrugada.
Desde entonces no hay quien duerma en el vecindario, especialmente los ocupantes de los pisos más bajos. Le ruego, pues, en nombre de toda la comunidad de propietarios, ordene sean tomadas las medidas necesarias para que la tranquilidad vuelva a reinar de noche en nuestra calle.

En espera de una pronta solución a nuestro problema, reciba un respetuoso saludo.

... [localidad], a ... de ... de 20...

[firma]

27 Denuncia simple

AL ILMO. SR. DIRECTOR GENERAL DEL DEPARTAMENTO/ SERVICIO/ÁREA DE ... DEL AYUNTAMIENTO/GOBIERNO DE ...

D. ..., con domicilio en ..., calle ..., n.º ..., teléfono n.º ..., DNI n.º ...

DENUNCIA bajo su responsabilidad los hechos siguientes: [se exponen los hechos concreta, ordenada y brevemente]

[lugar y fecha]

[firma]

28 Denuncia de consumo con especificación de fundamentos jurídicos

AL ILMO. SR. DIRECTOR GENERAL DEL DEPARTAMENTO/ SERVICIO/ÁREA DE ... DEL AYUNTAMIENTO/GOBIERNO DE ...

D. ..., con domicilio en ..., calle ..., n.º ..., teléfono n.º ..., DNI n.º ..., comparece y respetuosamente expone que mediante el presente formula denuncia de los siguientes hechos, que podrían constituir infracciones administrativas.

HECHOS:

1.º ...
2.º ...
3.º ...

A estos hechos resultan de aplicación los siguientes

FUNDAMENTOS DE DERECHO:

La ley/decreto ... tipifica como infracción administrativa [leve, grave, muy grave] la conducta empresarial consistente en ... En este comportamiento típico es claramente subsumible la actuación de la empresa denunciada, por lo cual,

SOLICITO que, teniendo por presentado en tiempo y forma el presente escrito de denuncia, se inicie el pertinente procedimiento sancionador contra la ... [empresa denunciada].

... [localidad], a ... de ... de 20...

[firma]

29 | Denuncia por el crecimiento de un árbol que se introduce en propiedad privada

[AYUNTAMIENTO DE ...]
ÁREA DE VÍA PÚBLICA

Ilmo. Sr. Concejal:

D. ..., mayor de edad, con domicilio en ..., calle ..., n.º ..., piso ..., provisto de DNI n.º ..., actuando en nombre propio,

DENUNCIA bajo su responsabilidad los hechos siguientes:

1.º Que frente a su vivienda habitual, situada en la dirección referenciada, se halla un árbol plantado por el ayuntamiento de esta ciudad. Que dicho árbol no es podado convenientemente por el citado organismo, según se desprende de sus responsabilidades.
2.º Que el ramaje del árbol tapa totalmente una ventana de la citada vivienda, lo que imposibilita abrirla y ver a través de ella.

... [localidad], a ... de ... de 20...

[firma]

30 | Denuncia por daños causados a bienes de dominio público

[AYUNTAMIENTO DE ...]
ÁREA DE VÍA PÚBLICA

Ilmo. Sr. Concejal:

D. ..., mayor de edad, con domicilio en ..., calle ..., n.º ..., piso ..., provisto de DNI n.º ..., actuando en nombre propio,

DENUNCIA bajo su responsabilidad los hechos siguientes:

Que el día ..., a las ... horas, un camión con matrícula ... colisionó de frente con la farola del alumbrado público de este ayuntamiento, sita en la calle ..., a la altura del inmueble n.º ..., lo que produjo considerables desperfectos en la misma.

... [localidad], a ... de ... de 20...

[firma]

31 | Reclamación por el mal servicio de recogida de basuras

[AYUNTAMIENTO DE ...]
ÁREA DE VÍA PÚBLICA

Ilmo. Sr. Concejal:

Todavía no se ha solucionado el problema de la recogida de la basura en nuestro barrio. Parece que en otras zonas se han tomado medidas más o menos efectivas, pero en nuestras calles todo sigue igual.
Por la falta de regularidad en las horas de recogida, las bolsas de basura permanecen dos o más horas en la calle, precisamente en aquellas en que los chicos juegan.
Se trata de un problema de higiene. A menudo, su contenido se esparce por las aceras, a consecuencia del juego de los niños o de los perros y los gatos del lugar. Todos esperamos mayor diligencia por parte de este servicio, que ya está agotando la paciencia del vecindario del barrio de ...

Reciba un respetuoso saludo.

... [localidad], a ... de ... de 20...

[firma]

32 | Escrito de alegaciones genérico

DIRECCIÓN GENERAL DEL PATRIMONIO
MINISTERIO DE CULTURA

D. ..., con DNI n.º ..., domiciliado en ..., calle ..., tel. ..., DECLARO, haciendo uso del derecho que me otorga la Ley de Régimen Jurídico y del Procedimiento Administrativo Común, y en relación con mi precontrato con el departamento de Cultura,

1. Que no tengo ningún otro contrato con la Administración Pública.

2. Que no padezco ninguna enfermedad contagiosa.

... [localidad], a ... de ... de 20...

[firma]

33 | Reclamación económico-administrativa por cuestión relativa al IVA

TRIBUNAL ECONÓMICO ADMINISTRATIVO REGIONAL DE ...

D. ..., con DNI n.º ..., mayor de edad y con domicilio en ..., calle ..., n.º ..., teléfono ...., ante ese tribunal comparece y, como mejor proceda en derecho,

EXPONE:

PRIMERO. Que el día ... de ... [mes] de 20... recibió la factura n.º ... de ... [empresa] con NIF ... y domicilio ..., factura que correspondía a la adquisición de ..., de la cual se adjunta fotocopia como ANEXO I.

SEGUNDO. Que el tipo impositivo del IVA aplicado en dicha factura se considera incorrecto, ya que, según la Ley 37/1992 del Impuesto sobre el Valor Añadido, los bienes consistentes en ... tributan al tipo superreducido.

Por todo lo cual,

SOLICITA:

Que, teniendo por presentado en tiempo y forma este escrito y el documento que con él se acompaña, se sirva admitirlos, tenga por formulada reclamación económico-administrativa contra la repercusión tributaria de referencia efectuada por ... [empresa] y se dicte resolución en la que se declare la improcedencia de dicha repercusión.

Es justicia que se pide en ..., a ... de ... de 20...

[firma]

34 | Reclamación económico-administrativa contra una sanción tributaria

TRIBUNAL ECONÓMICO ADMINISTRATIVO REGIONAL DE ...

D. ..., con DNI n.º ..., mayor de edad y con domicilio en ..., calle ..., n.º ..., teléfono ...., ante ese tribunal comparece y, como mejor proceda en derecho,

EXPONE:

Que en fecha ... de ... [mes] de 20... ha recibido notificación del acuerdo de imposición de sanción por infracción tributaria ... [simple o grave] n.º ... girada por ... [órgano que la dictó], consistente en ... [hecho que origina la infracción] y por el importe de ... euros, cuya fotocopia se acompaña.

Que, por medio del presente escrito, interpone, dentro del plazo concedido al efecto, RECLAMACIÓN ECONÓMICO-ADMINISTRATIVA contra dicho acuerdo, de conformidad con lo dispuesto al respecto en la Ley General Tributaria y las demás normas de procedimiento aplicables, basándose en las siguientes

ALEGACIONES:

PRIMERA: Que, conforme al Estatuto del Contribuyente (Ley 1/98 de Derechos y Garantías de los Contribuyentes) y el Real Decreto 1930/1998 de Desarrollo del Régimen Sancionador Tributario, la actuación de los contribuyentes se presume realizada de buena fe. La Administración Tributaria no ha aportado pruebas de que el contribuyente actúe con dolo o intención de defraudar; por el contrario, la declaración del ... [impuesto], presentada dentro de plazo, contiene todos los datos necesarios para cuantificar la deuda, y el contribuyente ha comparecido y aportado todos los justificantes requeridos por la Administración (TEAC 1/5/92).

SEGUNDA: Que la Ley General Tributaria excluye toda responsabilidad del contribuyente cuando este ha puesto la diligencia necesaria en el cumplimiento de las obligaciones y los deberes tributarios, entendiendo como tal los supuestos en que se ha declarado de forma veraz y completa, amparándose en una interpretación razonable de la norma (TS 29/10/1999, AN 6/2/2001). Numerosas sentencias han establecido que no hay culpabilidad cuando existe un error de derecho, ocasionado por la existencia de una confusión normativa (AN 28/9/2000, TSJ Galicia 21/12/1992, TEAC 26/1/1994). Asimismo, la existencia de pronunciamientos contradictorios de diferentes tribunales es suficiente para considerar que no existe culpabilidad (TSJ Madrid 10/12/1993), y la interpretación errónea de normas jurídicas complejas no resulta susceptible de sanción (TS 14/10/2000, TEAC 11/6/1999, TEAC 25/5/1994).

TERCERA: Que expresamente solicita se ponga en su día de manifiesto el expediente para alegaciones y prueba.

Y, en su virtud, a este tribunal

SUPLICA:

Que, teniendo por presentado en tiempo y forma este escrito y documentos que se acompañan, los admita y considere formulada reclamación económico-administrativa contra el acuerdo de referencia y, previos los trámites legales oportunos, dicte en su día resolución en la que se acuerde anularlo.

Es justicia que se pide en ... [localidad], a ... de ... de 20...

[firma]

35 | Pliego de descargo por retirada del vehículo de la vía pública por la grúa municipal

[AYUNTAMIENTO DE ...]
EXCMO. SR. ALCALDE DE ...

D. ..., mayor de edad, natural y vecino de ..., con domicilio en la calle ..., n.º ..., comparece y como mejor proceda en derecho expone:

Que es propietario del vehículo marca ..., modelo ..., color ..., matrícula ...
Que en unión de sus familiares ha regresado de vacaciones el día ... de ... del corriente año, y el día ... de ..., al llegar al lugar de su trabajo, sito en ..., dejó su coche aparcado en la calle ..., a la altura del número ..., sin advertir señalización alguna de prohibición a tal efecto. Esta acción la realizó a las ... horas de la mañana del día indicado extrañándole, eso sí, la abundancia de aparcamiento existente, pero excusada por la época estival.
Que al terminar su jornada laboral y dirigirse al lugar del aparcamiento no halló su vehículo y sí a unos obreros que asfaltaban la calle, por quienes supo que su coche había sido retirado por la grúa municipal.
Que ignoraba, por llegar la noche anterior de viaje, la campaña informativa al respecto del asfaltado que ese Excelentísimo Ayuntamiento había divulgado una semana antes.
Que, como prueba documental, aporta certificado expedido por la dirección de su trabajo específico del periodo de vacaciones que ha disfrutado, factura del importe de su permanencia en ... durante el mes de ..., billetes de viaje por ferrocarril con fecha

... realizado en un tren que tenía su llegada a ... en la noche del mismo día.

A la vista de cuanto antecede

SOLICITA: Que, teniendo por presentado este escrito y por hechas las manifestaciones que contiene, tenga a bien ordenar se reintegre al que suscribe la cantidad de euros pagados por el concepto de retirada de su vehículo, toda vez que, cuando aparcó su coche, no existía ninguna señal que le informara del asfaltado que se está efectuando en determinadas zonas de esta capital.

Es justicia que se pide en ... [localidad], a ... de ... de 20...

[firma]

36 | Modelo de recurso ordinario

[AYUNTAMIENTO DE ...]
EXCMO. SR. ALCALDE DE ...

D. ..., mayor de edad, natural y vecino de ..., con domicilio en la calle ..., n.º ..., teléfono ..., comparece y como mejor proceda en derecho expone:

Que ha recibido notificación de denuncia, de expediente de referencia n.º ..., con el vehículo matrícula ..., por la que se impone al exponente una multa pecuniaria por vulnerar supuestamente la normativa vigente.
Por medio del presente escrito y con el debido respeto interpongo, en tiempo y forma, el oportuno recurso ordinario alegando en mi defensa:

PRIMERO: Que solicito que se realicen las pruebas necesarias que corroboren el hecho denunciado. Tal hecho se niega por completo y, en consecuencia, debe darse cumplimiento a lo previsto en la vigente Ley de Régimen Jurídico de las Administraciones Públicas y Procedimiento Administrativo Común, para la comprobación de los hechos denunciados, así como practicar las pruebas que se propongan sobre la base de desvirtuar la presunción de veracidad de las denuncias practicadas por los agentes de la autoridad.

A juicio de recurrente nos encontramos ante un error en la calificación del hecho por parte del agente, por lo que solicito, además de la ratificación del agente denunciante, la reconstrucción de los hechos que aclaren la verdad de lo denunciado. Las pruebas propuestas deberán admitirse mediante providencia al respecto, que se notificará al interesado con suficiente antelación, tal y como refleja la legislación vigente.

En virtud de lo expuesto,

SOLICITO admita este escrito a trámite y, tras las comprobaciones precisas, se proceda a practicar las oportunas pruebas solicitadas en el presente pliego de descargos o, de lo contrario, se deje la sanción sin efecto ordenándose el archivo de lo actuado.

Es justicia que se pide en ... [localidad], a ... de ... de 20...

[firma]

37 | Recurso ordinario alegando prescripción

[AYUNTAMIENTO DE ...]
EXCMO. SR. ALCALDE DE ...

D. ..., mayor de edad, natural y vecino de ..., con domicilio en la calle ..., n.º ..., teléfono ...., comparece y como mejor proceda en derecho expone:

Que con fecha ... la Jefatura Provincial de Tráfico le ha notificado al arriba indicado la resolución sancionadora con n.º de expediente ... (se adjunta fotocopia). El denunciado, haciendo uso de su derecho a recurrir contra la misma y estando dentro del plazo establecido, formula el presente recurso ordinario, para lo cual alega:

PRIMERO: Que la notificación de la presunta infracción no ha sido notificada en tiempo y forma reglamentaria, ya que desde la fecha de la denuncia ... el denunciado no ha recibido notificación de la presunta infracción hasta la fecha de ..., en que recibió la notificación referida en el presente recurso, con lo cual han transcurrido más de tres meses y, según la normativa vigente, de aplicación al caso, la acción para sancionar las infracciones prescribe a los tres meses, contados a partir del día en que los hechos se hubiesen cometido, por lo que la presunta infracción ha prescrito por no haber sido notificada dentro del plazo establecido.

SEGUNDO: Que la notificación la firma y, por tanto, impone la sanción EL JEFE DE LA UNIDAD DE SANCIONES de la Jefatura Provincial de Tráfico, y no CONSTA que lo haga por autorización ni delegación de nadie (motivo suficiente para anular la sanción) como dice la Ley de Régimen Jurídico y del Procedimiento Administrativo Común, en las resoluciones y actos que se firmen por delegación se hará constar la autoridad de procedencia. Ni el jefe de sanciones ni el director general de Tráfico de la provincia tienen potestad para imponer sanciones, ya que el ejercicio de la potestad sancionadora corresponde a los órganos administrativos que la tengan expresamente atribuida, por disposición de rango legal o reglamentario, sin que pueda delegarse en órgano distinto. Conforme a la ley, los actos de las administraciones públicas son nulos de pleno derecho cuando son dictados por órgano manifiestamente incompetente, por lo que nos hallamos ante un acto nulo.

Por todo lo expuesto anteriormente, el denunciado SOLICITA:

Que, teniendo por presentado este escrito, se digne admitirlo y, tras los trámites que estime necesarios, DECLARE EL SOBRESEIMIENTO DEL EXPEDIENTE.

Es justicia que se pide en ... [localidad], a ... de ... de 20...

[firma]

38 | Escrito de alegaciones: disconformidad con control de alcoholemia

[AYUNTAMIENTO DE ...]
EXCMO. SR. ALCALDE DE ...

D. ..., mayor de edad, natural y vecino de ..., con domicilio en la calle ..., n.º ..., teléfono ...., comparece y como mejor proceda en derecho,

EXPONE:

PRIMERO: Que con fecha ... he sido denunciado por infracción con base en el siguiente hecho: «conducir con un nivel de alcoholemia por encima del legalmente permitido», incoado con ocasión de un control preventivo, por lo que se le anuncia una sanción de ... euros.

SEGUNDO: Que, no hallándose conforme con los hechos que se le imputan ni con la sanción propuesta, formula el siguiente ESCRITO DE ALEGACIONES, reconocido en el vigente Reglamento Sancionador en materia de Tráfico, que fundamento en las siguientes

ALEGACIONES:

PRIMERA: FALTA DE ACREDITACIÓN DE LOS HECHOS OBJETO DE LA DENUNCIA: la sanción anunciada supone una transgresión del principio de responsabilidad personal que rige en todo procedimiento administrativo sancionador considerado por la jurisprudencia y la doctrina como uno de los límites del *ius puniendi* derivado del principio de culpabilidad, en virtud del cual no se debe condenar si no es en virtud de elementos probatorios claros y contundentes.
Según este criterio jurisprudencial, la presunción de inocencia deberá respetarse por la Administración y destruirla, en su caso, con verdaderas pruebas de cargo, las cuales no podrán ser suplidas por la libre estimación de ningún funcionario.
En todo caso, y como bien tiene reconocida nuestra prolífera jurisprudencia al respecto, los informes que se incorporen deben ser siempre objetivos, completos y concretos, debiendo referirse no solamente a las circunstancias que concurren en la infracción denunciada, sino también a las alegaciones que el denunciado haya realizado en su momento, absteniéndose en todo momento de calificar jurídicamente los hechos.
Además, la presunción de inocencia lleva aparejada la necesidad de que la Administración corra con la carga de la prueba, a efectos de demostrar todos y cada uno de los elementos de hecho necesarios para poder imponer una sanción.
En consecuencia, y aplicando lo dispuesto en la Ley de Régimen Jurídico y del Procedimiento Administrativo Común, los hechos que fundamenten la presente resolución no pueden ser otros que los que hayan resultado probados.

SEGUNDA: INCOMPETENCIA DEL ÓRGANO SANCIONADOR [en el caso de que sea la Administración local la que impone la sanción]. La resolución dictada infringe lo establecido en la ley en lo que se refiere a la graduación de las sanciones, y al órgano competente para la resolución del expediente y la referencia de la norma que le atribuya tal competencia.

En materia de circulación y seguridad vial, la competencia para expedir, revisar, anular y suspender permisos y licencias de conducir corresponde al Ministerio del Interior, delegada esta última a las autoridades provinciales de tráfico. Así las cosas, surgen dudas acerca de la competencia del ayuntamiento de ...
Se establece en la ley que en el caso de infracciones graves podrá imponerse, además, la sanción de suspensión del permiso o licencia de conducción hasta tres meses y que en el supuesto de infracciones muy graves esta infracción se impondrá en todo caso. Pues bien, si debería imponerse en este supuesto la mencionada suspensión de la autorización administrativa para conducir, al entender que es materia reservada exclusivamente al Ministerio del Interior, debemos concluir que el ayuntamiento de ... es incompetente para dictar la mencionada resolución, debiéndose por tanto cancelar el expediente sancionador.

TERCERA: INDEBIDA GRADUACIÓN DE LA SANCIÓN. La sanción que pretende imponerse la consideramos, en todo caso, improcedente y nula de pleno derecho, por cuanto para su graduación no se ha tenido en cuenta la normativa vigente en la materia.
Las sanciones, tal y como vienen recogidas en la ley, son indeterminadas, sin cuantificar ni correlacionar con la infracción concreta, debiendo graduarse en atención a la gravedad y trascendencia del hecho, a los antecedentes del infractor y al peligro potencial creado.
En consecuencia, teniendo en cuenta que no concurre ninguna de las circunstancias previstas legalmente, estimamos que la sanción que debería aplicarse es la correspondiente a su grado mínimo.

CUARTA: REMISIÓN DE AUTORIZACIÓN Y VERIFICACIÓN DEL ALCOHOLÍMETRO UTILIZADO. Dado que el aparato utilizado me ofrece serias dudas de su correcto funcionamiento, solicito que me sea enviada copia de su autorización y verificación.

QUINTA: FALTA DE CONTRASTE MEDIANTE ANÁLISIS CLÍNICO. Que una vez realizadas las pruebas pertinentes no se me ofreció la posibilidad de contrastarlas con un análisis clínico.

Por todo ello:

SOLICITA se sirva admitir el presente escrito, tener por hechas las manifestaciones contenidas en el mismo, previas las manifestaciones oportunas y demás trámites de rigor, además de que se cumplimenten las PRUEBAS SOLICITADAS, por considerarlas FUNDAMENTALES, se dé traslado de las mismas a esta parte y, a su tenor, acuerde dejar sin efecto la denuncia y la sanción anunciada.

Es justicia que se pide en ... [localidad], a ... de ... de 20...

[firma]

39 | Recurso ordinario: infracción detectada con una cámara instalada en un semáforo

[AYUNTAMIENTO DE ...]
EXCMO. SR. ALCALDE DE ...

D. ..., mayor de edad, natural y vecino de ..., con domicilio en la calle ..., n.º ..., teléfono...., comparece y como mejor proceda en derecho,

EXPONE:

Que, dentro del plazo determinado por la ley y en la forma prevenida, esta parte presenta el siguiente recurso ordinario contra notificación de apertura de expediente sancionador n.º ..., con base en los siguientes

ANTECEDENTES DE HECHO:

PRIMERO: Que el día ... me fue comunicada mediante carta certificada una sanción referida al vehículo ..., matrícula ..., por una supuesta infracción.

SEGUNDO: Que niego los hechos denunciados.

FUNDAMENTOS JURÍDICOS:

PRIMERO: Entendiendo que se cumplen los requisitos de capacidad, tiempo, forma y competencia para admitirse este recurso ordinario, que ha de ser presentado ante el superior jerárquico, que será quien resuelva el asunto, siendo este la Dirección General de Tráfico, por delegación del Ministerio del Interior.

SEGUNDO: La aplicación de las graduaciones reglamentarias de los cuadros de infracciones y sanciones legalmente establecidas deberá atribuir a la infracción cometida una sanción concreta.

TERCERO: Es derecho del presunto responsable el de ser notificado de los hechos que se le imputen, de las infracciones que puedan constituir y de las sanciones que se les pudieran imponer. No obstante, la infracción supuestamente realizada y notificada no se corresponde en modo alguno con la conducta denunciada, ya que el precepto objeto de supuesta infracción no existe en el reglamento antedicho.

CUARTO: Las leyes de tráfico persiguen evitar de manera primordial los accidentes de circulación, que representan un alto coste para la sociedad y vienen a acentuar la obligada intervención de los poderes públicos en el mantenimiento de la seguridad de la circulación vial. Partiendo de este enunciado, que el legislador propone como básico, tenemos que entender que la imposición de sanciones a los infractores de la ley debe tener su justificación en este peligro real, para la circulación, de sus actuaciones.
Pues bien: en el caso que nos ocupa, tal peligro no existe. El conductor, como queda claro al no haberse denunciado por el agente en su boletín de denuncia, cumple de manera completa las normas generales de comportamiento en la circulación.

QUINTO: La denuncia formulada no fue realizada por un agente físico sino por una cámara que, aunque legal, nunca podrá ser capaz de sopesar lo dificultoso de la situación en la que me encontraba, lo cual me priva del DERECHO A LA DEFENSA que la CONSTITUCIÓN en su artículo 24.1 me garantiza, en su párrafo «sin que en ningún caso pueda producirse indefensión».

SEXTO: Los agentes encargados de la vigilancia del tráfico tienen el DEBER de aportar todos los elementos probatorios que sean posibles acerca del hecho denunciado y de las pruebas que en defensa de los respectivos derechos o intereses puedan señalar o aportar los propios denunciados. Además, es sabido que, recibida la denuncia en la Jefatura de Tráfico o alcaldía, se procederá a la graduación de la multa o a la VERIFICACIÓN de la calificación y multa consignadas en la misma por el agente denunciante, con lo cual, al haberse descuidado el agente de su DEBER de aportar las pruebas que en su defensa el denunciado tiene el DERECHO de señalar, se vuelve a privar a este de un DERECHO FUNDAMENTAL como es la DEFENSA, ignorando también la Administración en su deber de

VERIFICAR la multa las alegaciones que el denunciado tenía derecho y de-seaba realizar.

SÉPTIMO: Las denuncias formuladas por los agentes de la autoridad sin parar a los denunciados no serán válidas a menos que consten en las mismas y se les notifique las causas concretas y específicas por las que no fue posible detener el vehículo.

OCTAVO: Solicito que, en relación con el medio mecánico con que se procedió a realizar la fotografía señalada, se me faciliten sus datos y, entre ellos, en concreto los siguientes:

— Marca y modelo de la cámara y sensor o antena utilizado.
— Número de la antena del aparato con que se hizo la fotografía prueba de la denuncia.
— Número del equipo en el que está implantada la antena o sensor.
— Fecha de la aprobación individualizada, es decir, del aparato en concreto con que se detectó la infracción.
— Fecha de la revisión anual comprensiva de la fecha de la denuncia.
— Fecha de la revisión última que haya sido efectuada en el aparato encargado de realizar la fotografía o en cualquiera de las partes que lo componen, realizada con ocasión de alguna reparación que, tras su revisión anual, haya sido necesaria por avería u otra circunstancia similar, así como título o diploma del técnico que justifique los conocimientos necesarios para manipular dicho aparato.
— Acreditación que autoriza al instalador a realizar este trabajo con todas las garantías, sin que pueda haberse producido error de cálculo por la inexperiencia o la falta de conocimientos del mismo.

Y en función de lo anteriormente expuesto SOLICITO sea admitido el presente escrito como recurso ordinario presentado en tiempo y forma contra resolución del Sr. ... [Concejal Delegado, Director General de Tráfico...] en expediente n.º ..., y en su consecuencia, dictada nueva resolución que anule la anterior.

Es justicia que se pide en ... [localidad], a ... de ... de 20...

[firma]

40 | Escrito de alegaciones: circular sin casco (I)

[AYUNTAMIENTO DE ...]
EXCMO. SR. ALCALDE DE ...

D. ..., mayor de edad, natural y vecino de ..., con domicilio en la calle ..., n.º ..., teléfono ..., comparece y como mejor proceda en derecho,

EXPONE:

Que, en virtud del presente escrito y dentro del plazo legal concedido al efecto, interpone ESCRITO DE ALEGACIONES contra la denuncia de anotación al margen, por no encontrarla ajustada a derecho, de conformidad con las siguientes

ALEGACIONES:

PRIMERA: Que se me ha denunciado por «no utilizar la persona el casco reglamentario», por lo que se impone una multa.

El presunto infractor circulaba por la carretera designada en el boletín de denuncia, el día de la denuncia, cuando unos agentes le comunicaron mediante señas que redujese la velocidad de su vehículo y se detuviese; en el momento en que esta parte realizó dicha maniobra, uno de los agentes se acercó y le comentó que le habían visto sin el casco reglamentario, cosa que no era cierta, ya que se lo extrajo en el momento en que el vehículo estaba parado.

SEGUNDA: Se vulnera el PRINCIPIO DE TIPICIDAD. El artículo 25.1 CE establece la obligatoriedad de la tipificación legal al nominar que nadie puede ser sancionado por acciones u omisiones que, en el momento de producirse, no constituyan infracción administrativa según la legislación vigente en aquel momento.

TERCERA: Que, para la correcta y completa determinación de los hechos imputados y sus circunstancias relevantes, es preciso que se tenga a bien admitir y practicar el siguiente MEDIO DE PRUEBA (dándose copia del expediente y de las pruebas realizadas a esta parte)
CONFESIÓN-DOCUMENTAL: «Que se emita informe por parte del agente denunciador, en el que se establezca si vio al denunciado sin el casco en el momento en que le paró».

En virtud de lo expuesto,

SOLICITA se sirva admitir el presente escrito, tener por hechas las manifestaciones contenidas en el mismo, previas las manifestaciones oportunas y demás trámites de rigor, además de que se cumplimenten las PRUEBAS SOLICITADAS, por considerarlas FUNDAMENTALES, se dé traslado de las mismas a esta parte y, a su tenor, acuerde dejar sin efecto la denuncia y la sanción anunciada.

Es justicia que se pide en ... [localidad], a ... de ... de 20...

[firma]

41 | Recurso ordinario: circular sin casco (II)

[Ayuntamiento de ...]
Excmo. Sr. Alcalde de ...

D. ..., mayor de edad, natural y vecino de ..., con domicilio en la calle ..., n.º ..., teléfono ..., comparece y como mejor proceda en derecho,

EXPONE:

Que, en virtud de este escrito y dentro del plazo legal, se presenta RECURSO ORDINARIO contra la resolución de referencia al margen, por no encontrarla ajustada a derecho, de conformidad con las siguientes ALEGACIONES:

PRIMERA: Que no es cierto que no utilizara el casco protector en el lugar, el día y la hora que vienen indicados.

SEGUNDA: Que se está atentando a su vez contra el principio de legalidad, ya que son circunstancias sobre las que graduar las sanciones: gravedad, trascendencia del hecho, antecedentes del infractor y peligro potencial creado. El boletín de denuncia se limita a la escueta descripción fáctica que ha quedado expuesta, sin añadir nada referente a los elementos agravatorios y no se recoge que hubiera gravedad, trascendencia, peligro potencial o antecedentes infractores, por lo cual solicito se decrete el apercibimiento o se aplique la sanción en grado mínimo.

TERCERA: Que, con el fin de desvirtuar la presunción de veracidad *iuris tantum* sentada por el ordenamiento, SOLICITO LA PRÁCTICA DE LA PRUEBA consistente en la aportación por el agente denunciante de los elementos probatorios en que se fundamenta el hecho denunciado, pues se impone como deber a los agentes de la autoridad la aportación de tales elementos probatorios, sin que surta tal efecto la mera alegación y posterior ratificación del agente denunciante, si no consta en el expediente incoado tal elemento probatorio.

CUARTA: Se vulnera el PRINCIPIO DE TIPICIDAD. El artículo 25.1 CE establece la obligatoriedad de la tipificación legal al nominar que nadie puede ser sancionado por acciones u omisiones que, en el momento de producirse, no constituyan infracción administrativa según la legislación vigente en aquel momento.

En virtud de lo expuesto,

SOLICITO: Que se tenga por interpuesto el RECURSO ORDINARIO y, tras la admisión y la práctica de las pruebas propuestas, así como de aquellas actuaciones necesarias que en derecho correspondan, se dicte resolución archivando las actuaciones practicadas.

Es justicia que se pide en ... [localidad], a ... de ... de 20...

[firma]

42 | Escrito de alegaciones: estacionamiento en doble fila

[Ayuntamiento de ...]
Excmo. Sr. Alcalde de ...

D. ..., mayor de edad, natural y vecino de ..., con domicilio en la calle ..., n.º ..., teléfono ...., comparece y como mejor proceda en derecho,

EXPONE:

PRIMERO: Que con fecha ... ha sido denunciado por infracción por el siguiente hecho: «estacionar en doble fila», por lo que se le anuncia una sanción de ... euros.

SEGUNDO: Que, no hallándose conforme con los hechos que se le imputan ni con la sanción propuesta, formula el siguiente ESCRITO DE ALEGACIONES, que fundamento en las siguientes

ALEGACIONES:

PRIMERA: Que no es cierto que el vehículo se encontrara aparcado en tal sitio, sino que realicé una parada del coche durante un tiempo inferior a dos minutos, según me autoriza la ley y, por lo tanto, no se ha infringido la normativa vigente.

SEGUNDA: Que se está atentando a su vez contra el principio de legalidad, ya que se recogen legalmente como circunstancias sobre las que graduar las sanciones: gravedad, trascendencia del hecho, antecedentes del infractor y peligro potencial creado. El boletín de denuncia se limita a la escueta descripción fáctica que ha quedado expuesta, sin añadir nada referente a los elementos agravatorios y no se recoge que hubiera gravedad, trascendencia, peligro potencial o antecedentes infractores, por lo cual solicito se decrete el apercibimiento o se aplique la sanción en grado mínimo.

TERCERA: Que, por lo anteriormente expuesto, no debería haber sido sancionado, debido a que el estacionamiento se produjo por fuerza mayor, motivado por la necesidad imperiosa de acompañar a una persona impedida al portal de su domicilio.

CUARTA: Que, con el fin de desvirtuar la presunción de veracidad *iuris tantum* sentada por el ordenamiento, SOLICITO LA PRÁCTICA DE LA PRUEBA consistente en la aportación por el agente denunciante de los elementos probatorios en que se fundamenta el hecho denunciado, pues se impone como deber a los agentes de la autoridad la aportación de tales elementos probatorios, sin que surta tal efecto la mera alegación y posterior ratificación del agente denunciante, si no consta en el expediente incoado tal elemento probatorio.

Por todo lo anteriormente expuesto,

SOLICITA:

Se sirva admitir el presente escrito y tener por hechas las manifestaciones contenidas en el mismo, previas las manifestaciones oportunas y demás trámites de rigor, además de que se cumplimenten las PRUEBAS SOLICITADAS, por considerarlas

FUNDAMENTALES, se dé traslado de las mismas a esta parte, y a su tenor acuerde dejar sin efecto la denuncia y la sanción anunciada.

Es justicia que se pide en ... [localidad], a ... de ... de 20...

[firma]

43 | Escrito de alegaciones: estacionamiento sobre la acera

[AYUNTAMIENTO DE ...]
EXCMO. SR. ALCALDE DE ...

D. ..., mayor de edad, natural y vecino de ..., con domicilio en la calle ..., n.º ..., teléfono ...., comparece y como mejor proceda en derecho,

EXPONE:

PRIMERO: Que con fecha ... ha sido denunciado por infracción por el siguiente hecho: «estacionar sobre la acera», por lo que se le anuncia una sanción de ... euros.

SEGUNDO: Que, no hallándose conforme con los hechos que se le imputan ni con la sanción propuesta, formula el siguiente escrito de alegaciones, que fundamento en las siguientes

ALEGACIONES:

PRIMERA: Que no es cierto que el vehículo se encontrara estacionado en la acera, sino que realicé una parada del vehículo durante un tiempo inferior a dos minutos, según se autoriza legalmente.

SEGUNDA: Que se está atentando a su vez contra el principio de legalidad, ya que son circunstancias sobre las que graduar las sanciones: gravedad, trascendencia del hecho, antecedentes del infractor y peligro potencial creado. El boletín de denuncia se limita a la escueta descripción fáctica que ha quedado expuesta, sin añadir nada referente a los elementos agravatorios y no se recoge que hubiera gravedad, trascendencia, peligro potencial o antecedentes infractores, por lo cual solicito se decrete el apercibimiento o se aplique la sanción en grado mínimo.

TERCERA: Que por lo anteriormente expuesto no debería haber sido sancionado debido a que la parada se produjo por fuerza mayor, motivado por la necesidad imperiosa de acompañar a una persona impedida al portal de su domicilio.

CUARTA: Que, con el fin de desvirtuar la presunción de veracidad *iuris tantum* sentada por el ordenamiento consistente en la aportación por el agente denunciante de los elementos probatorios en que se fundamenta el hecho denunciado, pues el propio texto impone como deber a los agentes de la autoridad la aportación de tales elementos probatorios, sin que surta tal efecto la mera alegación y posterior ratificación del agente denunciante, si no consta en el expediente incoado tal elemento probatorio.

Por todo lo anteriormente expuesto,

SOLICITA:

Se sirva admitir el presente escrito, tener por hechas las manifestaciones contenidas en el mismo, previas las manifestaciones oportunas y demás trámites de rigor, además de que se cumplimenten las PRUEBAS SOLICITADAS, por considerarlas FUNDAMENTALES, se dé traslado de las mismas a esta parte, y a su tenor acuerde dejar sin efecto la denuncia y la sanción anunciada.

Es justicia que se pide en ... [localidad], a ... de ... de 20...

[firma]

44 | Recurso ordinario: giro prohibido

[AYUNTAMIENTO DE ...]
EXCMO. SR. ALCALDE DE ...

D. ..., mayor de edad, natural y vecino de ..., con domicilio en la calle ..., n.º ..., teléfono ...., comparece y como mejor proceda en derecho,

EXPONE:

Que en tiempo y forma hábiles viene a presentar recurso ordinario contra notificación de apertura de expediente sancionador n.º ..., con base en los siguientes

ANTECEDENTES DE HECHO:

PRIMERO: Que el día ... me fue comunicada mediante carta certificada una sanción referida al vehículo ..., matrícula ..., por los hechos que se dirán.

SEGUNDO: El comportamiento descrito por el denunciante no se identifica con los hechos acaecidos, que son los siguientes:

1.º Circulando el día ... por la ... y con dirección a ..., observé que el semáforo situado debajo del puente elevado cambiaba a rojo, por lo que detuve el vehículo. Junto a mí pude observar un agente de ... que se encontraba escribiendo en su boletín, sin ningún vehículo cercano.

2.º En ningún momento realicé giro alguno, permitido o no.

FUNDAMENTOS JURÍDICOS:

PRIMERO: El sentido de las leyes sobre tráfico son evitar de manera primordial los accidentes de circulación que representan un alto coste para la sociedad y vienen a acentuar la obligada intervención de los poderes públicos en el mantenimiento de la seguridad de la circulación vial. Partiendo de este enunciado, que el legislador propone como básico, tenemos que entender que la imposición de sanciones a los infractores de la ley debe tener su justificación en este peligro real, para la circulación, de sus actuaciones.

En el caso que nos ocupa tal peligro no existe. El conductor, como queda claro al no haberse denunciado por el agente en su boletín de denuncia, cumple de manera completa las normas generales de comportamiento en la circulación recogidas en las leyes.

SEGUNDO: Que, considerando lo dispuesto legalmente acerca de la presunción jurídica de veracidad del agente, debemos señalar que esta no tiene que estar exenta de un componente de objetividad. Esta falta de objetividad queda patente en el documento de la denuncia: no entregada en mano por servicio preferente de regulación de tráfico. Si bien es necesario entender la presunción de veracidad, no es menos cierto que esta no debe suponer una violación de la tutela efectiva del administrado y que tiene que evitar dentro de la actuación arbitraria de la Administración, representada en nuestro caso por el agente denunciante. Si se admite esta declaración sin base objetiva que demuestre su veracidad, estaremos admitiendo la posibilidad de subjetividad y por tanto inexactitud de la denuncia, como hemos venido señalando en la fundamentación que acompaña este escrito y por lo cual solicitamos que no sea considerada como válida la declaración del denunciante.

TERCERO: Considerando, pues, el cumplimiento escrupuloso de las disposiciones generales acerca del comportamiento del conductor y usuario de las vías públicas, observado en todo momento por el denunciado, hay que señalar que la presunta infracción imputada deberá entenderse en los términos y límites que establece la propia ley.

Hay que señalar que la conducta que se me imputa no debe ser en ningún caso considerada como infractora de precepto alguno, pues en ella, como bien se señala en el boletín de denuncia, no concurren ninguna de las circunstancias de visibilidad reducida legalmente fijadas. En lo referente a mi persona creo haber dado ya claros detalles del problema, y por lo que respecta a las meteorológicas y las condiciones generales de conducción (asfalto, visibilidad, etc.) eran en ese instante excelentes, por lo que el peligro era inexistente; muy al contrario, estando la maniobra supuestamente infringida encaminada a atenuar las posibles consecuencias de la llevada a cabo por el transportista, y al no ser interpretado al amparo del conjunto de la reglamentación vigente el precepto, la sanción deviene nula.

CUARTO: Que no se ha cumplido por parte del órgano denunciante con lo que se establece legalmente en relación con las denuncias de carácter obligatorio, formuladas por agentes de la autoridad, que deberán notificarse en el acto al denunciado o, por razones justificadas que deberán constar en la propia denuncia, posteriormente.

Se deduce la obligación del agente de parar al conductor o justificar las razones por las que no se hizo; al no ser cierta la causa, procede la nulidad del presente expediente.

Y en función de lo anteriormente expuesto SOLICITO sea admitido el presente escrito como RECURSO ORDINARIO, presentado en tiempo y forma contra resolución del Sr. ... (Concejal Delegado, Director General de Tráfico, etc.) en expediente n.º ..., y en su consecuencia, dictada nueva resolución que anule la anterior.

Es justicia que se pide en ... [localidad], a ... de ... de 20...

[firma]

45 | Recurso ordinario: sanción redactada en idioma no cooficial

[AYUNTAMIENTO DE ...]
EXCMO. SR. ALCALDE DE ...

D. ..., mayor de edad, natural y vecino de ..., con domicilio en la calle ..., n.º ..., teléfono ...., comparece y como mejor proceda en derecho,

EXPONE:

PRIMERO: Que ha recibido notificación de resolución sancionadora dictada por supuesta infracción al artículo ... de ...

SEGUNDO: Que, no estando conforme en absoluto con dicha resolución, interpone el presente recurso con base en los siguientes

MOTIVOS:

1.º INDEFENSIÓN, motivada por no existir notificación de la propuesta de resolución, anterior a esta notificación de resolución sancionadora y, además, en el presente caso, no se puso de manifiesto el expediente, quedando vetada así la posibilidad de formular alegaciones en el trámite procedimental oportuno.
2.º ERRORES EN LA FORMA de la notificación de resolución sancionadora, debido a que parte de la notificación de resolución sancionadora viene en una lengua no cooficial en la comunidad autónoma de residencia del supuesto infractor.

En el presente caso puede verse que se vulneran estos dos derechos de los ciudadanos en sus relaciones con las administraciones públicas (se adjunta fotocopia de la notificación de resolución sancionadora).

En virtud de lo expuesto,

SOLICITA: se sirva admitir este escrito y, habida cuenta de los motivos contenidos en el mismo, acuerde revocar íntegramente la resolución sancionadora, ordenando el archivo del expediente sancionador sin declaración de responsabilidad.

Es justicia que se pide en ... [localidad], a ... de ... de 20...

[firma]

46 | Recurso ordinario: sanción por rebasar la línea continua

[Ayuntamiento de ...]
Excmo. Sr. Alcalde de ...

D. ..., mayor de edad, natural y vecino de ..., con domicilio en la calle ..., n.º ..., teléfono, comparece y como mejor proceda en derecho,

EXPONE:

Que, en el tiempo y la forma previstas legalmente, presenta recurso ordinario contra notificación de apertura de expediente sancionador n.º ..., con base en los siguientes:

ANTECEDENTES DE HECHO:

PRIMERO: Que el día ... me fue comunicada mediante carta certificada una sanción referida al vehículo ..., matrícula ..., por una supuesta infracción legal.

SEGUNDO: Que el precepto que se dice infringido no se identifica con los hechos acaecidos, que son los siguientes:

1.º Circulando el día ... por la ... y debido a la violenta maniobra realizada por un vehículo pesado, que invadió el arcén derecho por las manifiestas dificultades en las que se encontraba, hasta el punto de que llegó prácticamente a detenerse, me vi obligado a realizar una brusca maniobra para esquivar al camión señalado, no invadiendo en ningún momento el carril reservado al sentido contrario.
2.º Dicha maniobra realizada no revistió peligro en ningún momento, como muy acertadamente reconoce el agente denunciante al observar que la maniobra se produjo existiendo «visibilidad en todo el adelantamiento», sino que, por el contrario, sirvió además para evitar una colisión entre mi vehículo y el que me sucedía. La referida maniobra fue, pues, realizada de una manera responsable, de acuerdo con el respeto a las normas de circulación vigentes, como es habitual en mi persona, extremo que puede confirmar el no haber sido objeto de ninguna sanción a lo largo de mi vida como conductor.

FUNDAMENTOS JURÍDICOS:

PRIMERO: Se cumplen los requisitos de capacidad, tiempo, forma y competencia para admitir este recurso ordinario, que debe ser presentado ante el superior jerárquico, que será quien resuelva el asunto, siendo este la Dirección General de Tráfico, por delegación del Ministerio del Interior.

SEGUNDO: La infracción supuestamente realizada y notificada no se corresponde en modo alguno con la conducta denunciada, ya que el precepto objeto de supuesta infracción no existe en el reglamento que se dice infringido.

TERCERO: Si el sentido último de la normativa relativa a tráfico es evitar de manera primordial los accidentes de circulación, que representan un alto coste para la sociedad y vienen a acentuar la obligada intervención de los poderes públicos en el mantenimiento de la seguridad de la circulación vial —que el legislador propone como básico—, debemos entender que la imposición de sanciones a los infractores de la ley debe tener su justificación en este peligro real, para la circulación, de sus actuaciones.

En el caso que nos ocupa tal peligro no existe. El conductor, como queda claro al no haberse denunciado por el agente en su boletín de denuncia, cumple de manera completa las normas generales de comportamiento en la circulación recogidas en las leyes.

CUARTO: Que, considerando la presunción jurídica de veracidad del agente, debemos señalar que esta no tiene que estar exenta de un componente de objetividad.

Esta falta de objetividad queda patente en el documento de la denuncia que señala la invasión de la zona reservada al sentido contrario, no habiéndose esta llegado a producir en ningún momento, como así queda probado, y aun en el supuesto caso de haberse producido, esta conducta servía para proteger la integridad física de las personas que en ese momento se encontraban circulando. Si bien es necesario entender la presunción de veracidad, no es menos cierto que esta no debe suponer una violación de la tutela efectiva del administrado y tiene que evitar dentro de la actuación arbitraria de la Administración representada en nuestro caso por el agente denunciante.

Si se acepta esta declaración sin base objetiva que demuestre su veracidad, pues en el caso que nos ocupa es de difícil apreciación el nivel de peligro que entrañaba la maniobra realizada por el camión aludido, estaremos admitiendo la posibilidad de subjetividad y, por tanto, inexactitud de la denuncia, tal y como hemos venido señalando en la fundamentación que acompaña este escrito, y por el cual solicitamos que no sea considerada como válida la declaración del denunciante.

QUINTO: Considerando, pues, el cumplimiento escrupuloso de las disposiciones generales acerca del comportamiento del conductor y usuario de las vías públicas, observado en todo momento por el denunciado, hay que señalar que la presunta infracción imputada deberá entenderse en los términos y los límites que establece la propia ley.
Se establece una prohibición inicial pero también hace una importante referencia a las situaciones y a las circunstancias que deben considerarse a la hora de imponer cualquier sanción, por ejemplo, sus propias condiciones físicas y psíquicas, las características y el estado de la vía, del vehículo y de su carga, las condiciones metereológicas, ambientales y de circulación. La conducta que se me imputa no debe ser en ningún caso considerada como infractora de precepto alguno, pues, como bien se señala en el boletín de denuncia, no concurren ninguna de las circunstancias de visibilidad reducida previstas legalmente. En lo referente a mi persona creo haber dado ya claros detalles del problema, y por lo que respecta a las condiciones generales y meteorológicas de conducción (asfalto, visibilidad, etcétera), eran en ese instante excelentes, por lo que el peligro era inexistente; muy al contrario, estaba la maniobra supuestamente infringida encaminada a atenuar las posibles consecuencias de la llevada a cabo por el transportista, y al no ser interpretado al amparo del conjunto de la reglamentación vigente el precepto, la sanción deviene nula.
Y en función de lo anteriormente expuesto SOLICITO sea admitido el presente escrito como recurso ordinario presentado en tiempo y forma contra resolución del Sr. ... (Concejal Delegado, Director General de Tráfico, etc.) en expediente n.º ..., y en su consecuencia, dictada nueva resolución que anule la anterior.

Es justicia que se pide en ... [localidad], a ... de ... de 20...

[firma]

47 | Recurso ordinario: atender al móvil mientras conducimos

[AYUNTAMIENTO DE ...]
EXCMO. SR. ALCALDE DE ...

D. ..., mayor de edad, natural y vecino de ..., con domicilio en la calle ..., n.º ..., teléfono, comparece y como mejor proceda en derecho,

EXPONE:

PRIMERO: Que con fecha ... he sido denunciado por infracción con base en el siguiente hecho: ..., por lo que se le anuncia una sanción de ... euros.

SEGUNDO: Que, no hallándose conforme con los hechos que se le imputan ni con la sanción propuesta, formula el siguiente recurso ordinario que fundamento en las siguientes

ALEGACIONES:

PRIMERA: No son ciertos los hechos objeto de la denuncia en la que se me acusa de haber cometido una supuesta infracción consistente en circular hablando por teléfono, ya que en ningún momento circulé en esas condiciones. Cuando recibí la llamada puse en funcionamiento el dispositivo de manos libres que llevo instalado en mi vehículo.
Si el agente denunciante consideró que yo conducía «hablando por teléfono», sin duda se debió a un exceso de celo, y debía haber hecho constar en su declaración los demás hechos y circunstancias que aquí explico en orden a que este órgano disponga de toda la información necesaria para decidir si mi conducta merece o no proponer sanción, pero este no es el caso.
El agente denunciante se limita a declarar que yo conducía «hablando por teléfono» y no dice nada del dispositivo.

SEGUNDA: SOLICITO LA APERTURA DEL PERIODO DE PRUEBA, pidiendo todas las posibles y proponiendo la práctica de los siguientes medios de prueba que considero imprescindibles para poder ejercer mi derecho a la defensa, sin perjuicio de que, una vez aceptados, pueda realizar cuantas alegaciones estime pertinentes según El resultado del mismo. Si no se me aportaran, esa Administración me crearía un grave estado de indefensión, por el cual se podría hasta exigir la responsabili-

dad del funcionario que lo creara. Solicito de ese órgano la prueba documental consistente en que se incorpore al expediente informe del agente denunciante relativo a las circunstancias de la presunta infracción, con expresión en concreto de su ratificación acerca de la detención total y absoluta de mi vehículo en el momento de la presunta infracción.
Entre los derechos fundamentales proclamados en el art. 24 de la Constitución está el de presunción de inocencia. Los procedimientos (judiciales o administrativos) sancionadores deben regirse por el principio acusatorio. La carga de la prueba recae sobre quien sostiene que se ha producido la infracción y que en ella, además, se ha incurrido en culpa.
Las normas administrativas establecen que los procedimientos sancionadores respetarán la presunción de no existencia de responsabilidad administrativa mientras no se demuestre lo contrario.
Por su parte, las normas sobre tráfico estipulan que las denuncias efectuadas por los agentes de la autoridad encargados de la vigilancia del tráfico harán fe, salvo prueba en contrario, respecto de los hechos denunciados, sin prejuicio del deber de aquellos de aportar todos los elementos probatorios que sean posibles acerca del hecho denunciado.
El Tribunal Constitucional en su sentencia 7f)/1990, de 26 de abril, interpretando la Ley General Tributaria declaró: «Debe excluirse *ad limine* que ese precepto establezca una presunción legal que dispense a la Administración, en contra del derecho fundamental a la presunción de inocencia, de toda prueba respecto de los hechos sancionados». No hay, pues, tal dispensa. Si es posible adjuntar otras pruebas, resultará necesario hacerlo si la Administración pretende actuar conforme a la Constitución y el ordenamiento jurídico.
Asimismo, en la referida sentencia declara: «La carga de la prueba corresponde a quien ejercita la imputación, y cualquier insuficiencia en el resultado de las pruebas practicadas debe traducirse en un pronunciamiento absolutorio».
Además, el Tribunal Constitucional, en su sentencia 212/1990, establece: «En el marco del pronunciamiento administrativo sancionador está garantizado el derecho a no sufrir sanción que no tenga fundamento en una previa actividad probatoria sobre la cual el órgano competente pueda fundamentar un juicio razonable de culpabilidad».
El Tribunal Superior de Justicia de Madrid, en su sentencia de 29 de marzo de 1996, señala textualmente en el fundamento segundo: «... hay infracciones en las que son perfectamente

fáciles otras pruebas. En estos casos, teniendo en cuenta lo establecido en el artículo 1248 del Código Civil, debe negarse el carácter de prueba plena a la sola declaración testifical, bien se trate de un agente, bien de un controlador».
En el mismo sentido, la sentencia del Tribunal Superior de Justicia de Extremadura, 1160/96, dice: «La presunción de veracidad de una denuncia suscrita por un agente de la autoridad dependerá de que los hechos reflejados en la misma hayan sido correctamente constatados por aquel y de que se acompañen a la misma todos los elementos probatorios existentes. En ningún caso, la presunción de veracidad alcanza a las simples opiniones, meros juicios de valor o de intenciones y deducciones que pueda efectuar el agente actuante».
El mismo Tribunal Superior de Justicia de Extremadura, en su sentencia N7 53/97, precisa aún más al establecer: «El derecho a presunción de inocencia del art. 24.2 de la Constitución se construye con la misma intensidad garantista que en el Derecho penal, exigiéndose que, para que haya sanción, es necesario una prueba de cargo suficiente... Cualquier insuficiencia en el resultado de la prueba debe traducirse en un pronunciamiento absolutorio».

TERCERA: Solicito a esa Administración que me remita a mi domicilio las pruebas acreditativas del extremo que se me pretende imputar, toda vez que por razones laborales me resulta imposible desplazarme hasta esas oficinas para examinar las citadas pruebas.
Además, nuestro ordenamiento proclama el derecho de los administrados a que les sea dada vista del expediente, y se señala el derecho de los interesados a obtener copias de los documentos contenidos en ellos.

Por todo ello:

SOLICITA se sirva admitir el presente escrito, tener por hechas las manifestaciones contenidas en el mismo, previas las manifestaciones oportunas y demás tramites de rigor, además de que se cumplimenten las pruebas solicitadas, por considerarlas fundamentales, se dé traslado de las mismas a esta parte y, a su tenor, acuerde dejar sin efecto la denuncia y la sanción anunciada.

Es justicia que se pide en ... [localidad], a ... de ... de 20...

[firma]

48 | Escrito de alegaciones: caducidad del expediente por falta de notificación

[AYUNTAMIENTO DE ...]
EXCMO. SR. ALCALDE DE ...

D. ..., mayor de edad, natural y vecino de ..., con domicilio en la calle ..., n.º ..., teléfono, comparece y como mejor proceda en derecho,

EXPONE:

Que, en virtud de este escrito y dentro del plazo legal, se presenta escrito de alegaciones contra la resolución de referencia al margen, por no encontrarla ajustada a derecho, de conformidad con la siguiente ALEGACIÓN:

ÚNICA: Que, aunque debiera apreciarse de oficio, por su carácter de norma de orden público, alegamos la CADUCIDAD del expediente por el transcurso del plazo de UN AÑO desde la denuncia, sin que hubiera notificado resolución alguna a esta parte, sin causa imputable al interesado.

En virtud de lo expuesto,

SOLICITA: Que se tenga por interpuesto en tiempo y forma este escrito de alegaciones y, tras su admisión y prueba solicitada, previas las actuaciones que sean necesarias de conformidad con las normas de procedimiento y sustantivas aplicables, se dicte resolución en la que se declare la invalidez de la denuncia impugnada y el archivo de las actuaciones practicadas, por CADUCIDAD DEL PROCEDIMIENTO.

Es justicia que se pide en ... [localidad], a ... de ... de 20...

[firma]

49 | Escrito de descargos: estacionamiento con horario limitado (I)

[AYUNTAMIENTO DE ...]
EXCMO. SR. ALCALDE DE ...

D. ..., mayor de edad, natural y vecino de ..., con domicilio en la calle ..., n.º ..., teléfono, comparece y como mejor proceda en derecho,

EXPONE:

1. Que he recibido notificación de denuncia cuyo número de referencia es ...
2. Que, no estando conforme con dicha denuncia, formulo el presente escrito de descargos, el cual fundamento en las siguientes

ALEGACIONES:

PRIMERA: Que he recibido notificación de denuncia contra mi vehículo por estacionar, sin ningún tipo de distintivo que lo autoriza, en lugar habilitado para el estacionamiento con limitación horaria, siendo estos hechos completamente falsos, ya que se encontraba correctamente colocado encima del salpicadero de mi vehículo el correspondiente boletín de estacionamiento regulado.
En el mismo texto de notificación de denuncia se informa que el denunciante es miembro del servicio de estacionamiento regulado, careciendo, por tanto, del carácter de agente de la autoridad, tratándose de una denuncia simplemente de carácter voluntario.

SEGUNDA: Que según sentencia del Tribunal Superior de Justicia de Madrid de 1998: «La simple ratificación de la denuncia por parte del controlador no puede considerarse como elemento de prueba determinante de la comisión de la infracción que se le pretende imputar».

TERCERA: Que posteriores sentencias del Tribunal Supremo, de los Tribunales Superiores de Justicia de Valencia y del Tribunal Superior de Justicia de Madrid han dictando sentencias confirmando la falta de presunción de veracidad de los citados controladores.

Por todo lo cual,

SOLICITA:

PRIMERO: Se produzca la apertura del periodo de prueba, aportándose las pertinentes pruebas por parte del denunciante, solicitando que se me informe en qué horas y fechas se ha efectuado la denuncia, ya que, por mi parte, puedo aportar pruebas testificadas que en el momento y hora indicada mi vehículo se encontraba en otro lugar, pruebas que podría aportar al instructor del expediente si se produjera la apertura del periodo de prueba solicitada por el que suscribe.

SEGUNDO: Homologación del parquímetro o del reloj de pulsera del controlador por el Centro Español de Metrología.

TERCERO: No se ha hecho constar en la denuncia la identidad del denunciante, así como su domicilio, siendo únicamente sustituibles por el número de identificación en el caso de los agentes de la autoridad.

CUARTO: También solicito copia de la denuncia original.

Es justicia que se pide en ... [localidad], a ... de ... de 20...

[firma]

50 | Escrito de descargos: estacionamiento con horario limitado (II)

[AYUNTAMIENTO DE ...]
EXCMO. SR. ALCALDE DE ...

D. ..., mayor de edad, natural y vecino de ..., con domicilio en la calle ..., n.º ..., teléfono, comparece y como mejor proceda en derecho,

EXPONE:

PRIMERO: Que con fecha ... ha sido denunciado por infracción por el siguiente hecho: «estacionar sin el distintivo que lo autoriza en lugar habilitado para el estacionamiento con limitación horaria», por lo que se le anuncia una sanción de ... euros.

SEGUNDO: Que, no hallándose conforme con los hechos que se le imputan ni con la sanción propuesta, formula el siguiente escrito de descargos, que fundamenta en las siguientes

ALEGACIONES:

PRIMERA: Que no podemos más que negar los hechos que se imputan en la referida denuncia.

SEGUNDA: Que el controlador denunciante no tiene presunción de veracidad y no aporta ninguna prueba de los hechos denunciados.

TERCERA: Que el controlador denunciante ha efectuado una denuncia sin base legal, ya que la calle que nos afecta carece de la señalización prohibitiva o restrictiva necesaria para poder considerarla como de estacionamiento con limitación horaria.

CUARTA: Que la mayoría de la zona delimitada como ... [zona azul, zona verde] carece de señalización y la poca que existe es confusa o no reglamentaria. El titular de la vía viene obligado a señalizar correctamente la misma, con el fin de que el usuario pueda cumplir el precepto que pretende regularse, sin error de interpretación o confusión.
En la mayoría de la zona que nos ocupa, con limitación horaria, no existe la señal reglamentaria o está colocada al principio de una vía principal sin tener en cuenta a los usuarios de la vía que acceden a la misma por calles adyacentes y estacionan sin posibilidad de ver la señal; en algunos casos se ha sustituido la señal que nos ocupa por una inscripción de color azul, que por sí sola no tiene condición de señal de circulación restrictiva o prohibitiva, y solamente puede ser instalada para facilitar la interpretación de las señales reglamentarias siempre debajo de estas o en el interior de un panel rectangular que contenga la señal.

QUINTA: No se ha hecho constar en la denuncia la identidad del denunciante, así como su domicilio, siendo únicamente sustituibles por el número de identificación en el caso de los agentes de la autoridad.

Por todo ello:

SOLICITA se sirva admitir el presente escrito, tener por hechas las manifestaciones contenidas en el mismo, previas las manifestaciones oportunas y demás trámites de rigor, además de que se cumplimenten las pruebas solicitadas, por considerarlas fundamentales, se dé traslado de las mismas a esta parte, y a su tenor acuerde dejar sin efecto la denuncia y la sanción anunciada.

Es justicia que se pide en ... [localidad], a ... de ... de 20...

[firma]

51 | Escrito de descargos: velocidad excesiva detectada por radar (I)

[AYUNTAMIENTO DE ...]
EXCMO. SR. ALCALDE DE ...

D. ..., mayor de edad, natural y vecino de ..., con domicilio en la calle ..., n.º ..., comparece y como mejor proceda en derecho,

EXPONE:

— Que he recibido notificación de denuncia con expediente n.º ...

— Que, para poder colaborar con la justicia en el esclarecimiento de los hechos y para mi propia defensa si procediera, me es necesaria la denuncia tal y como fue formulada por el supuesto agente actuante, ya que esta no se notificó en el acto y no recuerdo nada relacionado con ella, por razón del tiempo transcurrido desde la presunta comisión de los hechos hasta la notificación.
Asimismo, y de conformidad con lo dispuesto en el art. 35 e) de la Ley 30/92, de 26 de noviembre, y 79.3 de la Ley sobre Tráfico, Circulación de Vehículos a Motor y Seguridad Vial, aprobada por RD Legislativo 339/1990, de 2 de marzo, les solicito que me envíen fotocopia o copia de todos los documentos que obren en el expediente sancionador, haciendo especial referencia no sólo al boletín de denuncia del agente actuante, sino también a la prueba fotográfica y certificados del cinemómetro.

Por todo lo anteriormente expuesto,

SOLICITO:

Sea admitido el presente escrito y se digne a resolver conforme a derecho a fin de que sea anulada la denuncia o sobreseído el expediente, o en su defecto, se me remita lo solicitado.

Es justicia que se pide en ... [localidad], a ... de ... de 20...

[firma]

52 | Escrito de descargos: velocidad excesiva detectada por radar (II)

[AYUNTAMIENTO DE ...]
EXCMO. SR. ALCALDE DE ...

D. ..., mayor de edad, natural y vecino de ..., con domicilio en la calle ..., n.º ..., teléfono, comparece y, como mejor proceda en derecho,

EXPONE:

PRIMERO: Que he recibido notificación de denuncia, cuyo número de referencia es ....

SEGUNDO: Que, no estando conforme con dicha denuncia, formulo el presente escrito de descargos, el cual fundamento en las siguientes

ALEGACIONES:

PRIMERA: El abajo firmante manifiesta que en el día y, aproximadamente, a la hora señalada circuló por el lugar que se indica, pero que acostumbra a respetar todas las normas, disposiciones y limitaciones establecidas, por lo que considera poco probable que circulara a tal velocidad, lo que induce a pensar que existe algún error en la medición del cinemómetro.

SEGUNDA: Que no se ha cumplido por parte del órgano denunciante con lo que viene legalmente establecido en el sentido de que las denuncias de carácter obligatorio, formuladas por agentes de la autoridad, se notificarán en el acto al denunciado.
Se deduce, por tanto, la obligación del agente de parar al conductor o justificar las razones por las que no se hizo; al no existir causa, procede la nulidad del presente expediente.

TERCERA: Solicito que, en relación con el medio mecánico con que se midió la velocidad señalada, se me faciliten sus datos y, entre ellos, en concreto los siguientes:

1. Marca y modelo del cinemómetro utilizado.
2. Número de la antena del aparato con que se hizo la fotografía prueba de la denuncia.
3. Número del equipo en el que está implantada la antena.
4. Fecha de la aprobación individualizada, es decir, del aparato en concreto con que se detectó la infracción.

5. Fecha de la revisión anual comprensiva de la fecha de la denuncia.
6. Fecha de la revisión última que haya sido efectuada en el aparato cinemómetro o en cualquiera de las partes que lo componen, realizada con ocasión de alguna reparación que tras su revisión anual haya sido necesaria por avería u otra circunstancia similar.

CUARTA: Asimismo, se solicita certificado de aptitud para manipular el cinemómetro por los agentes denunciantes, ya que el funcionamiento de estos aparatos es de alta precisión y cualquiera de las operaciones previas que se realizan manualmente puede modificar la velocidad detectada, en cuyo caso esta posible medición puede resultar errónea. Por supuesto, preciso comprobar las pruebas de inicio del carrete como prueba de buen funcionamiento del radar en su conjunto (equipo de motor). En caso de existir más de un vehículo en el fotograma, solicito sea comprobado mediante plantillas que la infracción corresponde a mi coche y no a otro u otros. Solicito saber la posición del vehículo-radar en ese momento en relación con la línea de calzada y si esta es recta o curva, pues ambos extremos varían totalmente la velocidad controlada por el radar, y no sería correcta en curva; igualmente, depende del carril que ocupara el vehículo infractor en ese momento. Todo ello dice mucho acerca de la veracidad o no de la velocidad controlada en ese momento.

Por lo anteriormente expuesto

SOLICITO:

Que, teniendo por presentado este escrito de descargo, con los documentos adjuntos, se digne admitirlo y, tras los trámites que estime necesarios y la revisión de las pruebas solicitadas, declare el sobreseimiento del expediente.

Es justicia que se pide en ... [localidad], a ... de ... de 20...

[firma]

53 Recurso ordinario: circulación sin el cinturón de seguridad

[Ayuntamiento de ...]
Excmo. Sr. Alcalde de ...

D. ..., mayor de edad, natural y vecino de ..., con domicilio en la calle ..., n.º ..., teléfono, comparece y, como mejor proceda en derecho,

EXPONE:

Que en virtud de este escrito, y dentro del plazo legal, se presenta recurso ordinario contra la notificación de referencia al margen, por no encontrarla ajustada a derecho, de conformidad con las siguientes

ALEGACIONES:

PRIMERA: Que se me denunció por no utilizar el cinturón de seguridad y se me impone una sanción de ... euros. En todo momento hago uso del cinturón reglamentario y, sin duda, se trata de un error involuntario o de percepción del agente denunciante.

SEGUNDA: Que se está atentando a su vez contra el principio de legalidad, ya que son circunstancias sobre las que graduar las sanciones: gravedad, trascendencia del hecho, antecedentes del infractor y peligro potencial creado. El boletín de denuncia se limita a la escueta descripción fáctica que ha quedado expuesta, sin añadir nada referente a los elementos agravatorios y no se recoge que hubiera gravedad, trascendencia, peligro potencial o antecedentes infractores, por lo cual solicito se decrete el apercibimiento o se aplique la sanción en grado mínimo.

TERCERA: Que, con el fin de desvirtuar la presunción de veracidad *iuris tantum* sentada por el ordenamiento, solicito la práctica de la prueba, consistente en la aportación por el agente denunciante de los elementos probatorios en que se fundamenta el hecho denunciado, pues es deber de los agentes de la autoridad la aportación de tales elementos probatorios, sin que surta tal efecto la mera alegación y posterior ratificación del agente denunciante, si no consta en el expediente incoado tal elemento probatorio.

CUARTA: Se vulnera el principio de tipicidad. El artículo 25.1 CE establece la obligatoriedad de la tipificación legal al nominar que nadie puede ser sancionado por acciones u omisiones que en el momento de producirse no constituyan infracción administrativa según la legislación vigente en aquel momento.

En virtud de lo expuesto,

SOLICITO:

Que se tenga por interpuesto el recurso ordinario, y tras la admisión y la práctica de las pruebas propuestas, así como de aquellas actuaciones necesarias que en derecho correspondan, se dicte resolución archivando todas las actuaciones practicadas.

Es justicia que se pide en ... [localidad], a ... de ... de 20...

[firma]

54 Solicitud de copia de la historia clínica

[lugar y fecha]

[CENTRO HOSPITALARIO/CLÍNICA/CENTRO DE ATENCIÓN PRIMARIA ...]
DIRECCIÓN GENERAL DEL CENTRO

Sr. director:

D. ..., con DNI n.º ..., con n.º de afiliación a la seguridad social ... y con domicilio en ..., teléfono...., al amparo de la previsión contenida en la Ley 41/2002, de 14 de noviembre, Básica Reguladora de la Autonomía del Paciente y de Derechos y Obligaciones en materia de Información y Documentación Clínica (BOE n.º 274, de 15 de noviembre), en el que se reconoce expresamente el derecho de los pacientes de acceder a la documentación de su historia clínica y a obtener copia de la misma,

SOLICITO:

Se me haga entrega de una copia de mi historia clínica, que está archivada en el centro que usted regenta con el n.º ...

Atentamente,

[firma]

55 | Reclamación por lista de espera no quirúrgica

[lugar y fecha]

[CENTRO HOSPITALARIO/CLÍNICA/CENTRO DE ATENCIÓN PRIMARIA ...]
DIRECCIÓN GENERAL DEL CENTRO

Sr. director:

D. ..., mayor de edad, con domicilio en ..., de la localidad de ..., con DNI n.º ..., teléfono de contacto ..., debidamente afiliado a la seguridad social con el n.º ..., ante la dirección comparece y dice:

PRIMERO: Debido a mi estado de salud, el Dr. ... del centro ... consideró pertinente la consulta o realización de una prueba diagnóstica ..., extendiéndome el oportuno volante. Dicho volante fue marcado por el doctor para ser atendido con carácter de cita preferente.

SEGUNDO: La solicitud de la cita se efectuó con fecha ..., a fin de que se me estableciese día concreto para la consulta o prueba diagnóstica especializada.

TERCERO: Tras la solicitud, me han concedido fecha de visita para el día ..., lo que considero del todo punto inadmisible y perjudicial para mi salud, vulnerándose mis derechos a una atención sanitaria digna y en condiciones, por lo que les hago responsables de aquellos daños y perjuicios que pueda sufrir hasta el momento de la atención especializada.
Asimismo, quiero hacerles constar el estado de necesidad e incertidumbre que me genera esta situación de espera, puesto que, si se me remite a un médico especialista o me solicitan la realización de unas pruebas diagnósticas, es porque no existe certeza de mi problema de salud y, consiguientemente, no se me aplica el tratamiento médico adecuado en su caso, por lo que mi problema puede verse agravado.

Por todo ello SOLICITO de esa dirección que admita este escrito y tenga por formulada reclamación frente a mi inclusión en listas de espera para la atención sanitaria correspondiente, y acuerde mi atención asistencial de la forma más rápida posible.

Atentamente,

[firma]

56 | Reclamación por daños

[CONSEJERÍA DE SANIDAD/DIRECCIÓN GENERAL DEL SERVICIO AUTONÓMICO DE SALUD]
EXCMO. SEÑOR CONSEJERO DE SANIDAD/ILMO. SEÑOR DIRECTOR GENERAL

D. ..., con DNI n.º ... y con domicilio a efectos de notificaciones en ..., de profesión ... y con n.º de afiliación a la seguridad social ..., teléfono..., actuando en propio nombre, en concepto de perjudicado por la actuación médica llevada a cabo en el centro sanitario de la seguridad social ..., comparece y como mejor proceda en derecho expone los siguientes HECHOS:

I. El día ..., el paciente D. ... ingresó en el centro sanitario antes referenciado aquejado de la siguiente dolencia: ..., como resulta del parte de primera asistencia sanitaria cuya copia se adjunta.

II. En dicho centro sanitario le fue practicada la siguiente intervención ...

III. A causa de la intervención que le fue practicada, presenta las siguientes secuelas descritas en el informe pericial, cuya copia acompaña a este escrito como documento n.º ...

FUNDAMENTOS DE DERECHO:

1. La STS de 31 de enero de 2003 (RJ 2003\646), a propósito de la aplicación de la doctrina del riesgo desproporcionado, ha precisado que, si se produce un resultado dañoso que normalmente no se origina más que cuando media una conducta negligente, responde el que ha ejecutado esta, a no ser que pruebe cumplidamente que la causa ha estado fuera de su esfera de acción.
Esta sentencia viene a seguir la doctrina que constituye el fundamento del fallo de sus sentencias de 29 de junio de 1999 (RJ 1999\4895) y de 30 de diciembre de 1999 (RJ 1999\9496).
En virtud de esta última, el TS confirmó los extremos condenatorios de la sentencia dictada en instancia, salvo en lo que afectaba a un pronunciamiento sobre las costas procesales, en atención a la denominada *doctrina sobre el daño desproporcionado*, del que se desprenden la culpabilidad del autor que corresponde a la regla *res ipsa loquitur* («la cosa habla por sí misma»), que se refiere a una evidencia que crea una deduc-

ción de negligencia, «lo que requiere que se produzca un evento dañoso de los que normalmente no pasan, sino por razón de una conducta negligente, que dicho evento se origine por alguna conducta que entre en la esfera de acción del demandado, aunque no se conozca el detalle exacto, y que el mismo no sea causado por una conducta o una acción que corresponda a la esfera de la propia víctima».

2. Para la valoración o cuantificación económica de las secuelas y los daños morales cuya indemnización pretende el reclamante, se ha utilizado analógicamente el baremo establecido para la valoración de daños personales derivados de accidentes de circulación, de acuerdo con la doctrina jurisprudencial que resulta, entre otras muchas, de la sentencia del TS (3.ª) de 28/6/1999, SAN (Sec. Cont.-Adm.) de 13/10/1999, STSJ Cataluña (Cont.-Adm.) de 29/11/1999, STSJ Galicia (Cont.-Adm.) de 24/5/1999, AP de Cádiz de 17/2/1999 y AP de La Coruña (Sec. 1.ª) de 30/6/2004, de las que resulta el carácter orientativo de dicho baremo para la valoración de daños corporales o personales con la etiología de los que fundamentan esta reclamación, sin perjuicio del necesario respeto del principio de reparación integral de los daños causados y cuya certeza y realidad haya sido acreditada, como impone el pronunciamiento contenido en la sentencia del TS (Sala 1.ª) de 20/6/2003.

En virtud de lo expuesto, SOLICITA:

Se dicte una resolución administrativa en la que, teniendo por presentada esta solicitud y previos los trámites administrativos oportunos, se reconozca la responsabilidad civil de la Administración Pública Sanitaria, y en este concepto se le abone una indemnización por los daños corporales y morales experimentados de ...

Es justicia que se pide en ... [localidad], a ... de ... de 20...

[firma]

57 | Solicitud de adopción

[ÓRGANO COMPETENTE DE LA COMUNIDAD AUTÓNOMA]

Solicitud: ... N.º de registro: ...

D. ..., con DNI núm. ..., y Dña. ..., con DNI núm. ..., de ... y ... años de edad, respectivamente, de profesiones ... y ..., con domicilio en ..., C. P. ..., provincia de ..., calle ..., n.º ..., teléfono ....

EXPONEN:

Que estamos en disposición de recibir en acogimiento, para su posterior adopción, a un/a niño/a que se encuentre bajo la competencia protectora de ... [Gobierno de la comunidad autónoma].
Que creo que reunimos las condiciones idóneas para ello y nos comprometemos a asumir todas las obligaciones que tanto el Código Civil como las demás disposiciones legales imponen en materia de adopciones.

SOLICITAMOS:

Que previos los trámites procedentes, se acuerde la incoación del oportuno expediente de adopción y, en su momento, se proponga a la autoridad judicial su constitución.

... [localidad], a ... de ... de 20...

[firma de los solicitantes]

58 | Solicitud de adopción promovida por el solicitante

AL JUZGADO

D. ... [nombre del solicitante] con DNI ... y domiciliado en ..., comparezco y, como sea más procedente, digo:

Que promuevo expediente de adopción del menor ... [nombre y apellidos], que fundamento en lo siguiente:

1. Reúno los requisitos legales para adoptar por tener veinticinco años cumplidos y sobrepasar la edad del adoptado en más de catorce años.

2. El menor cuya adopción pretendo es hijo de mi consorte, Dña. ..., habido de su anterior matrimonio con D. ..., y que convive conmigo y con su madre desde hace tres años, en que contrajimos matrimonio. De nuestro matrimonio no ha nacido ningún hijo, y yo, por mi parte, trato al de mi cónyuge como si fuera su verdadero padre.

3. Tengo una posición económica estable, ya que soy funcionario de la Administración del Estado. Por ello, creo que estoy en condiciones de hacer frente a los gastos de educación y formación derivados de la adopción y de asumir las obligaciones que me corresponden como padre adoptivo.

Se acompañan los siguientes documentos: ... Ofrezco información testifical sobre lo alegado. El último domicilio de mi cónyuge y madre del adoptado es el mismo que el de este. El último domicilio del padre del menor es ...

Por todo lo cual SOLICITO AL JUZGADO: que admita el presente escrito, tenga por promovido expediente de adopción del menor ... y, seguidos los trámites legales con intervención del Ministerio Fiscal, se dicte auto por el que se constituya la adopción del mismo por mi parte, ostentando desde aquel momento mis apellidos y los de su madre. Asimismo suplico que se me entregue testimonio para su inscripción en el registro civil y demás pronunciamientos inherentes a la filiación que se pretende.

... [localidad], a ... de ... de 20...

[firma del solicitante]

59 | Solicitud de emancipación

[Oficina del registro civil]

D. ... [nombre del solicitante], con DNI ... y domiciliado en ..., teléfono....., como mejor proceda en derecho, comparezco y digo:

Que de mi matrimonio con Dña. ... he tenido, entre otros, un hijo llamado ..., que nació el día ..., según se acredita con la correspondiente certificación de nacimiento.

Que dicho hijo, mayor de dieciséis años, pero menor de dieciocho, desea la emancipación para poder dedicarse a ..., conforme es su deseo. Como consideramos beneficiosa y conveniente tal emancipación, estamos dispuestos a conceder la emancipación deseada para que pueda regir su persona y bienes como si fuera mayor de edad y sin más limitaciones que las contenidas en el Código Civil.

Dicho menor presta a esta emancipación su consentimiento y aceptación y, en prueba de ello, firma conmigo el presente escrito.

Por todo lo cual,

SOLICITO: Que, teniendo por presentada esta solicitud con la documentación reseñada, tenga a bien designar día y hora para la comparecencia a fin de ratificarnos en las manifestaciones del presente escrito.

... [localidad], a ... de ... de 20...

[firmas del padre y del hijo]

Modelos jurídicos y contratos

A continuación presentamos el modelo de una denuncia, seguramente el escrito más utilizado por una persona corriente en el campo del Derecho civil, penal y administrativo (diferente a las denuncias de la primera sección de este libro: «Gestorías, abogados y procuradores»).

Existen otros escritos jurídicos, pero la mayoría los debe redactar un abogado.

60 | Denuncia

D. ..., comparezco ante el juzgado y, como mejor proceda en derecho, DIGO:

Que, por medio del presente, formulo DENUNCIA por escrito por el presunto delito de ... [nombre del delito tipificado].

Que los hechos en los que se basa la presente denuncia son los siguientes: ... [explicación detallada de los hechos].

Cree el denunciante que los hechos relatados son constitutivos del delito de ... previsto en el Código Penal en su art. ... [fundamentos jurídicos de la denuncia]. Por ello se ponen en conocimiento de este juzgado, para que se proceda a la averiguación y comprobación de los hechos y se enjuicie, en su día, a todos los implicados en los hechos relatados.

En su virtud,

SUPLICO AL JUZGADO que tenga por presentado este escrito de denuncia y ordene proceder a la comprobación del hecho objeto de la denuncia, así como de todas las circunstancias relatadas.

Es justicia que solicito en ... [localidad], a ... de ... de 20...

[firma del denunciante]

61 Contrato de anticresis

REUNIDOS

Don ..., mayor de edad, con DNI ..., vecino de ..., con domicilio en la calle ..., de una parte, y don ..., mayor de edad, con DNI ..., vecino de ..., con domicilio en la calle ..., de otra,

ACUERDAN:

Celebrar un contrato de ANTICRESIS, atendiendo a las siguientes

CLÁUSULAS:

I. Don ... presta la cantidad de ... euros a don ..., entregándosela en este acto.

II. La cantidad prestada será devuelta por el deudor con fecha ... con un ... % de interés.

III. Don ... constituye a favor de don ... una anticresis sobre la finca ... de su propiedad en garantía del préstamo, adquiriendo don ... el derecho de percibir los frutos del inmueble con la obligación de aplicarlos al pago de los intereses y al del capital de su crédito.

IV. Don ... acepta la finca obligándose a conservarla con la diligencia de un buen padre de familia.

V. Don ... puede cultivar la tierra, así como arrendarla a terceros.

VI. Don ..., acreedor anticresista, se obliga al pago de las contribuciones y las cargas que pesen sobre la finca, así como de los gastos necesarios para su conservación y reparación, deduciéndose de los frutos las cantidades que emplee en uno u otro objeto.

VII. Al vencimiento de la obligación y tras el pago de la deuda por el deudor, el acreedor le restituirá el inmueble.

Y manifestando su voluntad de contratar, firman las partes el presente contrato de ANTICRESIS.

En ..., a ... de ... de 20...

[firma de las partes y de los testigos]

62 | Contrato de aparcería

REUNIDOS

Don ..., mayor de edad, con DNI ..., vecino de ..., con domicilio en la calle ..., de una parte, y don ..., mayor de edad, con DNI ..., vecino de ..., con domicilio en la calle ..., de otra,

ACUERDAN:

Celebrar un contrato de APARCERÍA, atendiendo a las siguientes

CLÁUSULAS:

I. Que don ..., arrendador, es propietario de la finca ...

II. Que don ... cede en aparcería el uso de la finca descrita a don ... El estado de la finca al tiempo del arrendamiento es ...

III. La aparcería comenzará con fecha ... y finalizará con fecha ..., sin necesidad de requerimiento.

IV. Queda prohibido el subarriendo por parte del aparcero.

V. El arrendador pondrá al aparcero en posesión de la finca y se hará cargo de todas las reparaciones en la misma que sean necesarias para que el aparcero pueda servirse de ella para el uso al que ha sido destinada.

VI. El arrendador está obligado a mantener al arrendatario en el goce pacífico del arrendamiento por aparcería de las tierras de labor por todo el tiempo del contrato.

VII. El arrendador aportará como elementos que integran el capital de explotación ...

VIII. Los jornales que el aparcero debe invertir en la finca se estipulan, de mutuo acuerdo, en ... euros para cada año.

IX. Conforme a lo estipulado en los dos apartados anteriores, las proporciones de participación en el capital de explotación son de un ... % para el arrendador y de un ... % para el aparcero.

X. Conforme a los porcentajes anteriores se repartirán los frutos obtenidos en la recolección, en la misma finca, dentro de los ... días posteriores a esta.

XI. El aparcero debe devolver la finca, al concluir el arriendo, como la recibió, salvo lo que hubiese perecido o se hubiera menoscabado por el tiempo o por causa inevitable.

XII. Los gastos que ocasione la escritura del contrato serán pagados por el aparcero.

XIII. Para cualquier problema acerca del cumplimiento de este contrato, se someten ambas partes a la jurisdicción de los tribunales de ..., renunciando expresamente al fuero propio.

En ..., a ... de ... de 20...

[firma de las partes y de los testigos]

63 | Contrato de comodato

En ..., a ... de ... de 20...

REUNIDOS

Don ..., mayor de edad, con DNI ..., vecino de ..., con domicilio en la calle ..., de una parte, y don ..., mayor de edad, con DNI ..., vecino de ..., con domicilio en la calle ..., de otra parte, acuerdan celebrar un contrato de COMODATO, atendiendo a las siguientes

ESTIPULACIONES:

I. Don ... es propietario de las cosas que a continuación se detallan:

[enumeración detallada]

II. El comodante entrega al comodatario las cosas descritas para que use de ellas por el tiempo convenido, con la diligencia de un buen padre de familia, reservándose el comodante la propiedad de las cosas prestadas.

III. El préstamo comienza el día ... y finaliza el día ...

IV. Al finalizar dicho plazo, el comodatario deberá devolver las cosas objeto del comodato en el mismo estado en que se le entregan.

V. El comodatario está obligado a satisfacer los gastos ordinarios que sean de necesidad para el uso y la conservación de la cosa prestada.

VI. El comodatario no responde de los deterioros que sobrevengan a las cosas prestadas por el solo efecto de uso y sin culpa suya.

VII. El comodante se obliga a abonar los gastos extraordinarios causados durante el contrato para la conservación de las cosas prestadas, siempre que el comodatario lo ponga en conocimiento antes de hacerlos, salvo cuando fueren tan urgentes que no pueda esperarse el resultado del aviso sin peligro.

VIII. Para la resolución de cualquier cuestión que se suscite en la interpretación o la aplicación del presente contrato, las partes se someten expresamente a los juzgados y los tribunales de ..., con renuncia al fuero propio.

Y en prueba de su conformidad, firman las partes el presente contrato de comodato, en la fecha arriba indicada.

[firma de las partes y de los testigos]

64 | Contrato de depósito

REUNIDOS

Don ..., mayor de edad, con DNI ..., vecino de ..., con domicilio en la calle ..., de una parte, y don ..., mayor de edad, con DNI ..., vecino de ..., con domicilio en la calle ..., de otra parte, acuerdan celebrar un contrato de DEPÓSITO, atendiendo a las siguientes

ESTIPULACIONES:

I. Don ... es propietario de las cosas que a continuación se detallan:

[enumeración detallada]

II. El valor de las cosas depositadas se determina en ... euros, a efectos de posibles responsabilidades.

III. El depositario reconoce haber inspeccionado las cosas, estando en buen estado.

IV. El depositante entrega al depositario las cosas descritas para que las guarde y las restituya en el mismo estado en que le fueron entregadas, al tiempo de finalizar el depósito, así como cuando lo solicite el depositante.

V. El depositante reembolsará al depositario los gastos que haya hecho para la conservación de la cosa depositada y le indemnizará de todos los perjuicios que se le hayan seguido del depósito.

VI. El depositario no podrá servirse de la cosa depositada.

VII. El depósito comienza el día ... y finaliza el día ...

VIII. Para cualquier problema acerca del cumplimiento de este contrato, se someten ambas partes a la jurisdicción de los tribunales de ..., renunciando expresamente al fuero propio.

En ..., a ... de ... de 20...

[firma de las partes y de los testigos]

65 | Contrato de depósito de dinero

REUNIDOS

Don ..., mayor de edad, con DNI ..., vecino de ..., con domicilio en la calle ..., de una parte, y don ..., mayor de edad, con DNI ..., vecino de ..., con domicilio en la calle ..., de otra parte, acuerdan celebrar un contrato de DEPÓSITO DE DINERO, atendiendo a las siguientes

ESTIPULACIONES:

I. Don ... es propietario de la cantidad de ... euros.

II. El depositante entrega al depositario la cantidad referida para que la guarde y la restituya al tiempo de finalizar el depósito.

III. El depositario se obliga a devolver la cantidad dineraria cuando lo solicite el depositante, con un preaviso mínimo de ... días.

IV. El depositante se obliga a reembolsar al depositario los gastos que haya hecho para la conservación de la cosa depositada y a indemnizarle de todos los perjuicios que se le hayan seguido del depósito.

V. El depositario no podrá servirse de la cantidad depositada. Si lo hiciere, responderá de los daños y perjuicios.

VI. El depósito comienza el día ... y finaliza el día ...

VII. Para la resolución de cualquier problema derivado de la interpretación y la aplicación del presente contrato, ambas partes se someten a la jurisdicción de los tribunales de ... con renuncia expresa al fuero propio.

En ..., a ... de ... de 20...

[firma de las partes y de los testigos]

66 | Contrato de donación

REUNIDOS

Don ..., mayor de edad, con DNI ..., vecino de ..., con domicilio en la calle ..., en pleno uso de sus facultades, hace la presente donación a favor de don ..., mayor de edad, con DNI ..., vecino de ..., con domicilio en la calle ..., atendiendo a las siguientes

CLÁUSULAS:

I. El objeto donado es ..., valorado en la suma de ... euros.

II. La donación se realiza sin someterse a ninguna condición.

III. El donatario se subroga en todos los derechos y acciones que en caso de evicción corresponderían al donante.

IV. El donante no queda obligado al saneamiento de las cosas donadas.

V. Se establece la reversión en favor del donador para el caso de que ...

VI. El donatario acepta la donación.

VII. Los gastos derivados del presente contrato serán de cuenta del donatario.

Y dan fe, donante y donatario, firmando el presente contrato.

En ..., a ... de ... de 20...

[firma de las partes]

67 | Contrato de fianza

En ..., a ... de ... de 20...

REUNIDOS

Don ..., mayor de edad, con DNI ..., vecino de ..., con domicilio en la calle ..., de una parte, y Don ..., mayor de edad, con DNI ..., vecino de ..., con domicilio en la calle ..., de otra,

CONVIENEN:

Celebrar un contrato de FIANZA, conforme a lo establecido en el art. 1822 y siguientes del Código Civil, atendiendo a las siguientes

ESTIPULACIONES:

PRIMERA. Don ... se obliga a pagar por don ... la cantidad que este adeude en relación con el negocio ..., en el caso de que este no lo haga.

SEGUNDA. No podrá reclamarse contra el fiador hasta que la deuda sea líquida.

TERCERA. La fianza comprende toda responsabilidad nacida en el negocio de don ...

CUARTA. El fiador se reserva el beneficio de la excusión (en su caso).

QUINTA. Don ..., deudor, indemnizará a don ..., fiador, cuando este pague por él, comprendiendo la indemnización la cantidad total de la deuda, los intereses legales de la misma desde que se haga saber el pago al deudor, los gastos ocasionados al fiador después de poner este en conocimiento del deudor que ha sido requerido para el pago, y los daños y perjuicios que procedan.

SEXTA. El fiador se subroga por el pago en todos los derechos que el acreedor tenía contra el deudor.

Y dando fe firman las partes el presente contrato de FIANZA, en la fecha arriba indicada.

[firma de las partes y de los testigos]

68 | Contrato de opciones de compra

En ..., a ... de ... de 20...

REUNIDOS

Don ..., mayor de edad, con DNI ..., vecino de ..., con domicilio en la calle ..., de una parte, y don ..., mayor de edad, con DNI ..., vecino de ..., con domicilio en la calle ..., de otra,

CONVIENEN:

Celebrar un contrato de OPCIÓN DE COMPRA, atendiendo a las siguientes

CLÁUSULAS:

I. Don ... es propietario de los objetos que a continuación se detallan:

[enumeración de los objetos]

II. Los precios estipulados para cada uno de los objetos son los siguientes:

[enumeración de los objetos con sus respectivos precios]

III. El importe total, obtenido de la suma de los precios de todas las cosas que serán, en su caso, objeto de la compraventa, es de ... euros.

IV. El precio de la opción es de ... euros, que don ... paga en fecha de hoy a don ...

V. El derecho de opción de compra podrá ser ejercido desde fecha ... a fecha ...

VI. En caso de incumplimiento de don ..., deberá devolver la cantidad entregada por don ... como precio de la opción.

Y dando fe firman las partes el presente contrato de OPCIÓN DE COMPRA, en la fecha arriba indicada.

[firma de las partes]

69 | Contrato de prenda

En ..., a ... de ... de 20...

REUNIDOS

Don ..., mayor de edad, con DNI ..., vecino de ..., con domicilio en la calle ..., de una parte, y don ..., mayor de edad, con DNI ..., vecino de ..., con domicilio en la calle ..., de otra,

CONVIENEN:

Celebrar un contrato de PRENDA, atendiendo a las siguientes

CLÁUSULAS:

I. Don ..., acreedor, presta la cantidad de ... euros a don ..., deudor, entregándosela en este acto.

II. La cantidad prestada será devuelta por el deudor con fecha ..., con un ... % de interés.

III. Don ... entrega en prenda ..., de su propiedad, a don ..., en garantía de la cantidad recibida y de los intereses que la misma devengará durante la duración del presente contrato.

IV. Don ... acepta el ... dado en prenda obligándose a cuidar de ello con la diligencia de un buen padre de familia, respondiendo de su pérdida o deterioro.

V. El deudor abonará los gastos realizados por el acreedor para su conservación.

VI. Vencida la obligación principal, la cosa dada en prenda puede ser enajenada para pagar al acreedor.

VII. El acreedor no puede disponer de la cosa dada en prenda ni apropiarse de ella, debiendo devolverla cuando el deudor satisfaga la deuda.

Y dando fe firman las partes el presente contrato de PRENDA, en la fecha arriba indicada.

[firma de las partes y de los testigos]

70 | Contrato de préstamo de cosa fungible

REUNIDOS

Don ..., mayor de edad, con DNI ..., vecino de ..., con domicilio en la calle ..., de una parte, y don ..., mayor de edad, con DNI ..., vecino de ..., con domicilio en la calle ..., de otra parte,

CONVIENEN:

Celebrar un contrato de PRÉSTAMO, atendiendo siempre a las siguientes

ESTIPULACIONES:

I. Don ... es propietario de ...

II. La mercancía está valorada en una cantidad de ... euros.

III. El prestamista entrega al prestatario la mercancía descrita, adquiriendo el prestatario su propiedad y estando obligado a devolver al prestamista otro tanto de la misma especie y calidad, aunque sufra alteración su precio.

IV. No se deberán intereses por parte del prestatario al prestamista.

V. El préstamo finaliza en fecha ...

VI. Prestamista y prestatario se someten para la resolución de cualquier cuestión que se suscite en la interpretación o en la aplicación del presente contrato a los juzgados y tribunales de ...

Conformes firman las partes el presente contrato de préstamo.

En ..., a ... de ... de 20...

[firma de las partes y de los testigos]

71 Documento transaccional derivado de un previo contrato de obra

En ..., a ... de ... de 20...

REUNIDOS

Don ..., mayor de edad, con DNI ..., vecino de ..., con domicilio en la calle ..., de una parte, y don ..., mayor de edad, con DNI ..., vecino de ..., con domicilio en la calle ..., actuando en representación de la empresa ..., con domicilio social en ..., de otra,

Según lo establecido en el art. 1809 y siguientes del Código Civil, ESTIPULAN:

PRIMERO. Que don ... es propietario de la vivienda sita en ..., construida por la sociedad constructora ...

SEGUNDO. Que dicha vivienda adolece de desperfectos en el suelo de la habitación principal, orientada al Oeste y única con salida a la terraza. Tales daños consisten en el levantamiento de la totalidad del suelo, lo que hace imposible la vivienda en dicha habitación.

TERCERO. Que la sociedad constructora ... admite su responsabilidad en tales daños después de haber estudiado los informes periciales realizados.

CUARTO. La sociedad constructora ... reparará los daños a don ... retirando el suelo dañado y obligándose a utilizar nuevos materiales, de las mismas características y mejor calidad.

QUINTO. La sociedad constructora ... se compromete a subsanar los desperfectos en un plazo de tres meses desde la firma del presente contrato.

SEXTO. Si al término del plazo anterior la sociedad constructora ... no hubiese finalizado la reparación, habiendo comenzado esta, deberá abonar la cantidad de ... euros por día de demora, siempre y cuando el retraso se deba a causa imputable a la sociedad constructora ...

SÉPTIMO. Si al término de dicho plazo la sociedad constructora ... no hubiese comenzado la reparación, deberá pagar a don ... la cantidad de ... euros para que proceda a la reparación por cuenta de aquel.

Y dando fe firman el presente contrato de TRANSACCIÓN en la fecha arriba indicada.

[firma de las partes]

72 | Contrato de arrendamiento de vivienda

REUNIDOS

Don ..., mayor de edad, con DNI ..., vecino de ..., con domicilio en la calle ..., de una parte, y don ..., mayor de edad, con DNI ..., vecino de ..., con domicilio en la calle ..., de otra, acuerdan celebrar un CONTRATO DE ARRENDAMIENTO, atendiendo a las siguientes

CLÁUSULAS:

I. Que don ..., arrendador, es propietario de la vivienda siguiente: ..., que se encuentra inscrita en el registro de la propiedad de ..., con el número ... del libro ...

II. Que el arrendador cede en arrendamiento la casa descrita a don ..., arrendatario, para satisfacer la necesidad permanente de vivienda de este.

III. El arrendamiento tendrá una duración de ... años a partir de la fecha de hoy, en la que se pone al arrendatario en posesión de la vivienda y de las llaves de acceso a la misma.

IV. El precio del arrendamiento será de ... euros mensuales, actualizándose la renta anualmente conforme al IPC.

V. En el plazo de los cinco primeros días de cada mes, el arrendatario deberá ingresar la renta mensual en el número de cuenta ... que don ... tiene abierta en la entidad bancaria ..., sucursal ...

VI. El arrendatario deberá usar la vivienda arrendada como un diligente padre de familia, destinándola al uso pactado.

VII. El arrendador está obligado a realizar todas las reparaciones necesarias a fin de conservar la vivienda en estado de servir para el uso al que ha sido destinado, sin tener derecho a elevar la renta por ello, así como a mantener al arrendatario en el goce pacífico del arrendamiento por todo el tiempo del contrato.

VIII. El arrendador y el arrendatario podrán pedir la rescisión del contrato y la indemnización de daños y perjuicios cuando la otra parte incumpla sus obligaciones, o sólo esto último, dejando el contrato subsistente.

IX. El arrendatario podrá desistir del contrato, preavisando al arrendador con una antelación mínima de dos meses e indemnizándolo con una cantidad equivalente a una mensualidad de la renta en vigor por cada año del contrato que reste por cumplir, dando lugar los periodos de tiempo inferiores al año a la parte proporcional de indemnización.

X. El arrendatario debe devolver la vivienda, al concluir el arriendo, tal como la recibió, salvo lo que hubiese perecido o se hubiera menoscabado por el tiempo o por causa inevitable.

XI. En cuanto a la cesión del contrato y subarriendo, quedan prohibidos para el arrendatario.

XII. El arrendatario entrega en este acto la cantidad correspondiente a ... meses de renta, en concepto de fianza, suma que deberá devolverse en el plazo de un mes a contar desde el día en que se devuelvan las llaves al arrendador.

XIII. En caso de venta de la vivienda arrendada el arrendatario tendrá derecho de adquisición preferente sobre la misma, conforme a lo establecido en la Ley 29/94, de 24 de noviembre, de Arrendamientos Urbanos.

XIV. Tendrá lugar la resolución de pleno derecho del contrato cuando el arrendatario incumpla su obligación de pago de la renta, así cuando tengan lugar actividades molestas, insalubres, nocivas, peligrosas o ilícitas, y cuando se incumpla por parte del arrendatario lo dispuesto en el apartado anterior respecto a la cesión y el subarriendo.

XV. En el caso de fallecimiento del arrendatario se subrogará en el contrato su cónyuge, doña ..., sin que el arrendamiento quede extinguido.

XVI. El presente documento podrá ser elevado a documento público notarial e inscrito en el registro de la propiedad, en su caso, a instancia de cualquiera de las partes, corriendo por cuenta de esta los gastos que ello ocasione.

XVII. En todo lo no dispuesto en el presente contrato se estará a lo establecido en el Código Civil, en el art. 1542 y siguientes, y en la Ley 29/94, de 24 de noviembre, de Arrendamientos Urbanos.

XVIII. Para cualquier problema acerca del cumplimiento de este contrato, se someten ambas partes a la jurisdicción de los tribunales de la localidad donde se halla sito el inmueble.

Dando fe firman las partes el presente contrato de ARRENDAMIENTO, por duplicado, constando cada ejemplar de ... folios por una sola cara.

En ..., a ... de ... de 20...

[firma de las partes]

73 Arrendamiento de vivienda con pacto autorizando el subarriendo en determinadas condiciones

REUNIDOS

Don ..., mayor de edad, con DNI ..., vecino de ..., con domicilio en la calle ..., de una parte, y don ..., mayor de edad, con DNI ..., vecino de ..., con domicilio en la calle ..., de otra, acuerdan celebrar un CONTRATO DE ARRENDAMIENTO, atendiendo a las siguientes

CLÁUSULAS:

I. Que don ..., arrendador, es propietario de la vivienda siguiente: ..., que se encuentra inscrita en el registro de la propiedad de ..., con el número ... del libro ...

II. Que el arrendador cede en arrendamiento la casa descrita a don ..., arrendatario, para satisfacer la necesidad permanente de vivienda de este.

III. El arrendamiento tendrá una duración de ... años a partir de la fecha de hoy, en la que se pone al arrendatario en posesión de la vivienda y de las llaves de acceso a la misma.

IV. El precio del arrendamiento será de ... euros mensuales, actualizándose la renta anualmente conforme al IPC.

V. En el plazo de los cinco primeros días de cada mes, el arrendatario deberá ingresar la renta mensual en el número de cuenta ... que don ... tiene abierta en la entidad bancaria ..., sucursal ...

VI. El arrendatario deberá usar la vivienda arrendada como un diligente padre de familia, destinándola al uso pactado.

VII. El arrendador está obligado a realizar todas las reparaciones necesarias a fin de conservar la vivienda en estado de servir para el uso al que ha sido destinado, sin tener derecho a elevar la renta por ello, así como a mantener al arrendatario en el goce pacífico del arrendamiento por todo el tiempo del contrato.

VIII. El arrendador y el arrendatario podrán pedir la rescisión del contrato y la indemnización de daños y perjuicios cuando la otra parte incumpla sus obligaciones, o sólo esto último, dejando el contrato subsistente.

IX. El arrendatario podrá desistir del contrato, preavisando al arrendador con una antelación mínima de dos meses e indemnizándolo con una cantidad equivalente a una mensualidad de la renta en vigor por cada año del contrato que reste por cumplir, dando lugar los periodos de tiempo inferiores al año a la parte proporcional de indemnización.

X. El arrendatario debe devolver la vivienda, al concluir el arriendo, tal como la recibió, salvo lo que hubiese perecido o se hubiera menoscabado por el tiempo o por causa inevitable.

XI. En cuanto a la cesión del contrato, se prohíbe, y el subarriendo parcial de la vivienda se podrá realizar por el arrendatario, siempre que se notifique mediante correo certificado al arrendador en el plazo de ... días desde la firma del contrato de subarriendo y se contemplen las siguientes condiciones:

1. El subarriendo podrá ser de vivienda o para uso distinto del de vivienda, pudiendo el arrendatario ejercer cualquier actividad de carácter industrial, comercial, artesanal, profesional, recreativa, asistencial, cultural o docente.

2. Sólo podrá subarrendarse como máximo a una persona en el mismo periodo de tiempo.

3. El arrendatario no podrá obtener por el subarriendo una renta ni igual ni superior a la establecida en el presente contrato para el arriendo.

4. El subarriendo no podrá tener una duración superior a ... meses, siendo posible su prórroga hasta un periodo máximo de ... años.

XII. El arrendatario entrega en este acto la cantidad correspondiente a ... meses de renta, en concepto de fianza, suma que deberá devolverse en el plazo de un mes a contar desde el día en que se devuelvan las llaves al arrendador.

XIII. En caso de venta de la vivienda arrendada el arrendatario tendrá derecho de adquisición preferente sobre la misma, conforme a lo establecido en la Ley 29/94, de 24 de noviembre, de Arrendamientos Urbanos.

XIV. Tendrá lugar la resolución de pleno derecho del contrato cuando el arrendatario incumpla su obligación de pago de la renta, así como cuando tengan lugar actividades molestas, insalubres, nocivas, peligrosas o ilícitas, y cuando se incumpla por parte del arrendatario lo dispuesto en el apartado anterior respecto a la cesión y el subarriendo.

XV. En el caso de fallecimiento del arrendatario se subrogará en el contrato su cónyuge, doña ..., sin que el arrendamiento quede extinguido.

XVI. El presente documento podrá ser elevado a documento público notarial e inscrito en el registro de la propiedad, en su caso, a instancia de cualquiera de las partes, corriendo por cuenta de esta los gastos que ello ocasione.

XVII. En todo lo no dispuesto en el presente contrato se estará a lo establecido en el Código Civil, en el art. 1542 y siguientes, y en la Ley 29/94, de 24 de noviembre, de Arrendamientos Urbanos.

XVIII. Para cualquier problema acerca del cumplimiento de este contrato, se someten ambas partes a la jurisdicción de los tribunales de la localidad donde se halla sito el inmueble.
Manifestando su conformidad firman las partes el presente contrato de ARRENDAMIENTO, por duplicado, constando cada ejemplar de ... folios por una sola cara.

En ..., a ... de ... de 20...

[firma de las partes]

74 | Subarriendo de local de negocio

REUNIDOS

Don ..., mayor de edad, con DNI ..., vecino de ..., con domicilio en la calle ..., de una parte, y don ..., mayor de edad, con DNI ..., vecino de ..., con domicilio en la calle ..., de otra, acuerdan celebrar un contrato de SUBARRIENDO para lo cual EXPONEN

a) Que en fecha ..., LA SUBARRENDADORA suscribió con la Propiedad del inmueble que se dirá, en relación al mismo, contrato de arrendamiento para uso distinto del de vivienda.

Finca de referencia: Local ... Inscrita en el Registro de la Propiedad de ...

b) Que LA SUBARRENDADORA está interesada en ceder en régimen de subarriendo a la SUBARRENDATARIA, y esta en tomar en tal concepto, la planta altillo de la finca de referencia (en adelante, EL LOCAL).

c) Que habiendo llegado las partes a un acuerdo respecto al subarriendo del LOCAL, que se regirá por la voluntad de las partes a tenor de lo establecido en el presente contrato, al objeto de regular todo ello,

PACTAN:

I. EL LOCAL se destinará a despacho y oficinas por LA SUBARRENDATARIA.

II. El presente contrato empezará a regir el día ..., concertándose por el plazo improrrogable y obligatorio de 3 años.

III. La renta inicial del contrato será de ... euros cada mes. El pago de la renta se hará mediante ingreso por la arrendataria en la cuenta corriente titularidad de LA SUBARRENDADORA n.º ... . La renta se actualizará a cada aniversario del contrato a tenor de las variaciones que haya experimentado el IPC en los doce meses inmediatamente precedentes a aquella fecha.

IV. Los gastos generales para el adecuado sostenimiento del inmueble, sus servicios, tributos, cargas y responsabilidades que corresponden al LOCAL o a sus accesorios son a cargo de la SUBARRENDATARIA. El importe anual de dichos gastos a la fecha del contrato, ascienden a ... euros.

V. Queda exonerada LA SUBARRENDATARIA de toda responsabilidad por la falta de cualquier suministro.

VI. LA SUBARRENDATARIA se hace directa y exclusivamente responsable y exime de toda responsabilidad a LA SUBARRENDADORA por los daños que puedan ocasionarse a personas o cosas, y sean derivados de instalaciones para servicios y suministros del LOCAL subarrendado.

VII. LA SUBARRENDATARIA recibe EL LOCAL en perfecto estado para el uso a que se destina, compuesto de puertas, cerraduras, cristales, instalaciones de toda clase y enseres de servicio, y en igual estado y a plena satisfacción de LA SUBARRENDADORA tendrá que devolverlo a la terminación del contrato.

VIII. LA SUBARRENDATARIA se obliga:

a) A no tener o manipular en EL LOCAL materias explosivas, inflamables, incómodas o insalubres, y observar en todo momento las disposiciones vigentes.

b) A permitir el acceso al LOCAL, a LA SUBARRENDADORA, al administrador y a los operarios o industriales mandados por cualquiera de ambos, para la realización, inspección y comprobación de cualquier clase de obras o reparaciones.

IX. LA SUBARRENDATARIA renuncia expresamente a los derechos de adquisición preferente de la Ley de Arrendamientos Urbanos, ya sea en su forma de tanteo o de retracto.

X. LA SUBARRENDATARIA se obliga a no ceder, subrogar, subarrendar, ya sea total o parcialmente, EL LOCAL.

XI. En caso de incumplimiento por alguna de las partes de cualquier obligación de las expresadas en este contrato o en la ley que sea aplicable, la otra parte podrá pedir la resolución del contrato y la indemnización de daños y perjuicios, o sólo esto último, dejando el contrato subsistente.

XII. Por LA SUBARRENDATARIA se constituye fianza por importe de dos mensualidades, que asciende a ... euros.

XIII. Para cualquier problema acerca del cumplimiento de este contrato, se someten ambas partes a la jurisdicción de los tribunales de la localidad donde se halla sito el inmueble.

Y en prueba de su conformidad firman las partes el presente contrato de SUBARRIENDO, por duplicado, constando cada ejemplar de ... folios por una sola cara.

En ..., a ... de ... de 20...

[firma de las partes]

75 | Arrendamiento de inmueble para el desempeño de una actividad profesional

REUNIDOS

Don ..., mayor de edad, con DNI ..., vecino de ..., con domicilio en la calle ..., de una parte, y don ..., mayor de edad, con DNI ..., vecino de ..., con domicilio en la calle ..., de otra, acuerdan celebrar un contrato de ARRENDAMIENTO atendiendo a las siguientes

ESTIPULACIONES:

I. Que don ..., arrendador, es propietario del inmueble siguiente: ..., que se encuentra inscrito en el registro de la propiedad de ..., con el número ... del libro ...

II. Que el arrendador cede en arrendamiento el local-despacho descrito a don ..., arrendatario, para que este desempeñe la actividad de ...

III. El arrendamiento tendrá una duración de ... años a partir de la fecha de hoy, en la que se pone al arrendatario en posesión del inmueble y de las llaves de acceso al mismo.

IV. El precio del arrendamiento será de ... euros mensuales, actualizándose la renta anualmente conforme al IPC.

V. En el plazo de los cinco primeros días de cada mes, el arrendatario deberá ingresar la renta mensual en el número de cuenta ... que don ... tiene abierta en la entidad bancaria ..., sucursal ...

VI. El arrendatario deberá usar el inmueble arrendado como un diligente padre de familia, destinándolo al uso pactado.

VII. El arrendador está obligado a realizar todas las reparaciones necesarias a fin de conservar el inmueble en estado de servir para el uso al que ha sido destinado, así como a mantener al arrendatario en el goce pacífico del arrendamiento por todo el tiempo del contrato.

VIII. El arrendador y el arrendatario podrán pedir la resolución del contrato y la indemnización de daños y perjuicios cuando la otra parte incumpla sus obligaciones, o sólo esto último, dejando el contrato subsistente.

IX. El arrendatario debe devolver el inmueble, al concluir el arriendo, tal como lo recibió, salvo lo que hubiese perecido o se hubiera menoscabado por el tiempo o por causa inevitable.

X. En cuanto a la cesión del contrato y subarriendo, el arrendatario puede ceder el contrato de arrendamiento o subarrendar el local sin contar con el consentimiento del arrendador, teniendo este derecho a una elevación de renta del 10 % en caso del subarriendo parcial y del 20 % en el caso de la cesión o del subarriendo total.

XI. En caso de fallecimiento del arrendatario, el heredero o legatario que quiera subrogarse deberá notificarlo por escrito al arrendador, dentro de los dos meses siguientes a la fecha del deceso.

XII. Tendrá lugar la resolución de pleno derecho del contrato cuando el arrendatario incumpla su obligación de pago de la renta, así como cuando tengan lugar actividades molestas, insalubres, nocivas, peligrosas o ilícitas.

XIII. El arrendatario entrega en este acto la cantidad correspondiente a ... meses de renta, en concepto de fianza, que deberá ser devuelta por el arrendador en el plazo de treinta días a contar desde aquel en que el arrendatario le retorne las llaves.

XIV. En todo lo no dispuesto en el presente contrato se estará a lo establecido en el Código Civil, en el art. 1542 y siguientes, y en la Ley 29/94, de 24 de noviembre, de Arrendamientos Urbanos.

XV. Para cualquier problema acerca del cumplimiento de este contrato, se someten ambas partes a la jurisdicción de los tribunales de la localidad donde se halla sito el inmueble.

Y en prueba de su conformidad firman las partes el presente contrato de ARRENDAMIENTO, por duplicado, constando cada ejemplar de ... folios por una sola cara.

En ..., a ... de ... de 20...

[firma de las partes]

76 | Contrato de arrendamiento de inmueble para uso distinto del de vivienda

REUNIDOS

Don ..., mayor de edad, con DNI ..., vecino de ..., con domicilio en la calle ..., de una parte, y don ..., mayor de edad, con DNI ..., vecino de ..., con domicilio en la calle ..., de otra, acuerdan celebrar un contrato de ARRENDAMIENTO atendiendo a las siguientes

ESTIPULACIONES:

I. Que don ..., arrendador, es propietario de la vivienda siguiente: ..., que se encuentra inscrita en el registro de la propiedad de ..., con el número ... del libro ...

II. Que el arrendador cede en arrendamiento el local descrito a don ..., arrendatario, para que este desempeñe la actividad de ...

III. El arrendamiento tendrá una duración de ... años a partir de la fecha de hoy, en la que se pone al arrendatario en posesión del local y de las llaves de acceso al mismo.

IV. El precio del arrendamiento será de ... euros mensuales, actualizándose la renta anualmente conforme al IPC.

V. En el plazo de los cinco primeros días de cada mes, el arrendatario deberá ingresar la renta mensual en el número de cuenta ... que don ... tiene abierta en la entidad bancaria ..., sucursal ...

VI. El arrendatario deberá usar el local arrendado como un diligente padre de familia, destinándolo al uso pactado.

VII. El arrendador está obligado a realizar todas las reparaciones necesarias a fin de conservar el local en estado de servir para el uso al que ha sido destinado, así como a mantener al arrendatario en el goce pacífico del arrendamiento por todo el tiempo del contrato.

VIII. El arrendador y el arrendatario podrán pedir la rescisión del contrato y la indemnización de daños y perjuicios cuando la otra parte incumpla sus obligaciones, o sólo esto último, dejando el contrato subsistente.

IX. El arrendatario debe devolver el local, al concluir el arriendo, tal como lo recibió, salvo lo que hubiese perecido o se hubiera menoscabado por el tiempo o por causa inevitable.

X. En cuanto a la cesión del contrato y el subarriendo, quedan prohibidos.

XI. Tendrá lugar la resolución de pleno derecho del contrato cuando el arrendatario incumpla su obligación de pago de la renta, así como cuando tengan lugar actividades molestas, insalubres, nocivas, peligrosas o ilícitas, y cuando se incumpla por parte del arrendatario lo dispuesto en el apartado anterior respecto a la cesión y el subarriendo.

XII. En todo lo no dispuesto en el presente contrato se estará a lo establecido en el Código Civil, en el art. 1542 y siguientes, y en la Ley 29/94, de 24 de noviembre, de Arrendamientos Urbanos.

XIII. El arrendatario entrega en este acto la cantidad correspondiente a ... meses de renta, en concepto de fianza, que será devuelta por el arrendador dentro del plazo de treinta días a contar desde aquel en que le sean retornadas las llaves.

XIV. Para cualquier problema acerca del cumplimiento de este contrato, se someten ambas partes a la jurisdicción de los tribunales de la localidad donde se halla sito el inmueble.

Y manifestando su voluntad de contratar firman las partes el presente contrato de ARRENDAMIENTO, por duplicado, constando cada ejemplar de ... folios por una sola cara.

En ..., a ... de ... de 20...

[firma de las partes]

77 | Contrato de arrendamiento de inmueble para uso distinto del de vivienda, con subarriendo

REUNIDOS

Don ..., mayor de edad, con DNI ..., vecino de ..., con domicilio en la calle ..., de una parte, y don ..., mayor de edad, con DNI ..., vecino de ..., con domicilio en la calle ..., de otra, acuerdan celebrar un contrato de ARRENDAMIENTO atendiendo a las siguientes

ESTIPULACIONES:

I. Que don ..., arrendador, es propietario del local siguiente: ..., que se encuentra inscrito en el registro de la propiedad de ..., con el número ... del libro ...

II. Que el arrendador cede en arrendamiento el local descrito a don ..., arrendatario, para que este desempeñe la actividad de ...

III. El arrendamiento tendrá una duración de ... años a partir de la fecha de hoy, en la que se pone al arrendatario en posesión del local y de las llaves de acceso al mismo.

IV. El precio del arrendamiento será de ... euros mensuales, actualizándose la renta anualmente conforme al IPC.

V. En el plazo de los cinco primeros días de cada mes, el arrendatario deberá ingresar la renta mensual en el número de cuenta ... que don ... tiene abierta en la entidad bancaria ..., sucursal ...

VI. El arrendatario deberá usar el local arrendado como un diligente padre de familia, destinándolo al uso pactado.

VII. El arrendador está obligado a realizar todas las reparaciones necesarias a fin de conservar el local en estado de servir para el uso al que ha sido destinado, así como a mantener al arrendatario en el goce pacífico del arrendamiento por todo el tiempo del contrato.

VIII. El arrendador y el arrendatario podrán pedir la rescisión del contrato y la indemnización de daños y perjuicios cuando la otra parte incumpla sus obligaciones, o sólo esto último, dejando el contrato subsistente.

IX. El arrendatario debe devolver el local, al concluir el arriendo, tal como lo recibió, salvo lo que hubiese perecido o se hubiera menoscabado por el tiempo o por causa inevitable.

X. En cuanto a la cesión del contrato, queda prohibido, pero se permite al arrendatario subarrendar el local, siempre que lo notifique de forma fehaciente al arrendador, en el plazo de un mes desde que el subarriendo se hubiese concertado.

XI. Tendrá lugar la resolución de pleno derecho del contrato cuando el arrendatario incumpla su obligación de pago de la renta, así como cuando tengan lugar actividades molestas, insalubres, nocivas, peligrosas o ilícitas, y cuando se incumpla por parte del arrendatario lo dispuesto en el apartado anterior respecto a la cesión y el subarriendo.

XII. En todo lo no dispuesto en el presente contrato se estará a lo establecido en el Código Civil, en el art. 1542 y siguientes, y en la Ley 29/94, de 24 de noviembre, de Arrendamientos Urbanos.

XIII. El arrendatario entrega en este acto la cantidad correspondiente a ... meses de renta, en concepto de fianza, que será devuelta por el arrendador dentro del plazo de treinta días a contar desde aquel en que le sean retornadas las llaves.

XIV. Para cualquier problema acerca del cumplimiento de este contrato, se someten ambas partes a la jurisdicción de los tribunales de la localidad donde se halla sito el inmueble.

Y en prueba de su conformidad firman las partes el presente contrato de ARRENDAMIENTO, por duplicado, constando cada ejemplar de ... folios por una sola cara.

En ..., a ... de ... de 20...

[firma de las partes]

78 Contrato de arrendamiento de inmueble para uso distinto del de vivienda, con subarriendo condicionado

REUNIDOS

Don ..., mayor de edad, con DNI ..., vecino de ..., con domicilio en la calle ..., de una parte, y don ..., mayor de edad, con DNI ..., vecino de ..., con domicilio en la calle ..., de otra, acuerdan celebrar un contrato de ARRENDAMIENTO atendiendo a las siguientes

ESTIPULACIONES:

I. Que don ..., arrendador, es propietario del local siguiente: ..., que se encuentra inscrito en el registro de la propiedad de ..., con el número ... del libro ...

II. Que el arrendador cede en arrendamiento el local descrito a don ..., arrendatario, para que este desempeñe la actividad de ...

III. El arrendamiento tendrá una duración de ... años a partir de la fecha de hoy, en la que se pone al arrendatario en posesión del local y de las llaves de acceso al mismo.

IV. El precio del arrendamiento será de ... euros mensuales, actualizándose la renta anualmente conforme al IPC.

V. En el plazo de los cinco primeros días de cada mes, el arrendatario deberá ingresar la renta mensual en el número de cuenta ... que don ... tiene abierta en la entidad bancaria ..., sucursal ...

VI. El arrendatario deberá usar el local arrendado como un diligente padre de familia, destinándolo al uso pactado.

VII. El arrendador está obligado a realizar todas las reparaciones necesarias a fin de conservar el local en estado de servir para el uso al que ha sido destinado, así como a mantener al arrendatario en el goce pacífico del arrendamiento por todo el tiempo del contrato.

VIII. El arrendador y el arrendatario podrán pedir la rescisión del contrato y la indemnización de daños y perjuicios cuando la otra parte incumpla sus obligaciones, o sólo esto último, dejando el contrato subsistente.

IX. El arrendatario debe devolver el local, al concluir el arriendo, tal como lo recibió, salvo lo que hubiese perecido o se hubiera menoscabado por el tiempo o por causa inevitable.

X. En cuanto a la cesión del contrato, queda prohibido, pero se permite al arrendatario subarrendar el local, siempre que lo notifique de forma fehaciente al arrendador, en el plazo de un mes desde que el subarriendo se hubiese concertado y conforme a lo siguiente:

1. El subarriendo en ningún caso será de vivienda.

2. Sólo podrá subarrendarse como máximo a ... personas en el mismo periodo de tiempo.

3. El arrendatario no podrá obtener por el subarriendo una renta superior a la establecida en el presente contrato para el arriendo.

4. El subarriendo no podrá tener una duración superior a ... meses, siendo posible su prórroga hasta un periodo máximo de ... años.

XI. Tendrá lugar la resolución de pleno derecho del contrato cuando el arrendatario incumpla su obligación de pago de la renta, así como cuando tengan lugar actividades molestas, insalubres, nocivas, peligrosas o ilícitas, y cuando se incumpla por parte del arrendatario lo dispuesto en el apartado anterior respecto a la cesión y el subarriendo.

XII. En todo lo no dispuesto en el presente contrato se estará a lo establecido en el Código Civil, en el art. 1542 y siguientes, y en la Ley 29/94, de 24 de noviembre, de Arrendamientos Urbanos.

XIII. El arrendatario entrega en este acto la cantidad correspondiente a ... meses de renta, en concepto de fianza, que será devuelta por el arrendador dentro del plazo de treinta días a contar desde aquel en que le sean retornadas las llaves.

XIV. Para cualquier problema acerca del cumplimiento de este contrato, se someten ambas partes a la jurisdicción de los tribunales de la localidad donde se halla sito el inmueble.

Y dando fe firman las partes el presente contrato de ARRENDAMIENTO, por duplicado, constando cada ejemplar de ... folios por una sola cara.

En ..., a ... de ... de 20...

[firma de las partes]

79 | Arrendamiento de plaza de garaje

En ..., a ... de ... de 20...

REUNIDOS

De una parte, y como ARRENDADOR, don ..., mayor de edad, de estado civil ..., con domicilio en ..., calle de ..., y con DNI n.º ...
De otra parte, y como ARRENDATARIO, don ..., mayor de edad, de estado civil ..., con domicilio en ..., calle de ..., y con DNI n.º ...

INTERVIENEN:

Todas las partes en su propio nombre y representación.
Ambas partes se reconocen la capacidad legalmente necesaria para el otorgamiento del presente contrato de arrendamiento, y a tal efecto,

EXPONEN:

1. Que don ... es propietario de la plaza de garaje sita en ... e identificada con el número ..., con una extensión aproximada de ... m^2.

2. Que don ... desea alquilar a don ... la indicada plaza de garaje para su utilización como aparcamiento de un vehículo. Por

ello, ambas partes acuerdan la celebración del presente CONTRATO DE ARRENDAMIENTO DE PLAZA DE GARAJE, y ello conforme a las siguientes

ESTIPULACIONES:

PRIMERA: El arrendamiento se establece por un plazo de un año, a contar desde el día ... Finalizado el plazo acordado, se prorrogará sucesivamente por igual plazo, salvo preaviso en contrario por cualquiera de las partes a la otra con un mes de antelación a la fecha de vencimiento del contrato o cualquiera de las prórrogas.

SEGUNDA: Será el precio del arrendamiento una renta mensual de ... euros, pagadera por meses anticipados, dentro de los cinco primeros días de cada mes.
El precio del arrendamiento incluye los gastos generales del inmueble y tributos, salvo el impuesto sobre el valor añadido (IVA) al tipo establecido en cada momento, o impuesto que le sustituya.
Cada anualidad de vigencia del contrato, la renta se actualizará conforme a la variación del índice general nacional de precios al consumo (IPC) en el periodo de doce meses anteriores a la fecha de celebración del contrato, tomando como índice el último publicado a la fecha de celebración del contrato. Las sucesivas actualizaciones a partir de la primera se realizarán sobre la renta anteriormente actualizada.

TERCERA: El pago se llevará a cabo mediante ingreso en metálico o transferencia bancaria a favor de don ..., en la cuenta que a su nombre y con el n.º ... existe en el banco ..., sucursal n.º ... Será prueba suficiente del pago el resguardo del ingreso o transferencia realizados, sin necesidad de expedir recibo alguno por parte del arrendador.

CUARTA: El presente contrato se regirá por lo pactado y, en su defecto, por la normativa aplicable del Código Civil. El arrendatario se obliga a cumplir las normas establecidas o que se establezcan por la comunidad de propietarios en que se halla la plaza de garaje; constituye causa de resolución expresa de este contrato el incumplimiento de tales normas.

QUINTA: El arrendamiento cubre exclusivamente la disponibilidad o uso y disfrute del espacio de la plaza de garaje para estacionamiento del vehículo. En consecuencia, este contrato no se extiende al depósito del vehículo, sin que exista responsabilidad alguna del propietario de la plaza en caso de daños causados en el vehículo del arrendatario, especialmente en supuestos de hurto, robo o incendio del vehículo estacionado. A tales efectos, el arrendatario reconoce expresamente conocer y aceptar las mencionadas circunstancias del arrendamiento concertado.

SEXTA: Queda expresamente prohibido el subarriendo de la plaza de garaje por el arrendatario.

SÉPTIMA: La enajenación de la plaza de garaje arrendada será causa inmediata de resolución del contrato. En dicho caso, el arrendatario carece de derechos de adquisición preferente sobre dicha plaza de garaje.

En prueba de total conformidad las partes firman el presente contrato, que se extiende por duplicado, en el lugar y la fecha arriba indicados.

[firma de las partes]

80 | Contrato de arrendamiento de obras

En ..., a ... de ... de 20...

REUNIDOS

Don ..., mayor de edad, con DNI ..., vecino de ..., con domicilio en la calle ..., de una parte, y don ..., mayor de edad, con DNI ..., vecino de ..., con domicilio en la calle ..., de otra, actuando en representación de la empresa ..., acuerdan atendiendo a las siguientes

ESTIPULACIONES:

I. Que don ... es propietario de la finca ... que se encuentra inscrita en el registro de la propiedad de ..., con el número ... del libro ...

II. Que la empresa ... realizará las obras sujetándose a los proyectos, la memoria, los planos y el pliego de condiciones realizados por los arquitectos ... y ..., estando las partes conformes a los mismos.

III. La empresa contratista cobrará por la construcción la suma de ... euros, incluyendo en esa cantidad los gastos de materiales y maquinaria, que serán pagados en entregas mensuales según lo dispuesto en el apartado siguiente.

IV. En el plazo de los cinco primeros días de cada mes, la dirección facultativa de la obra expedirá acreditación del importe de la obra realizada durante el mes anterior, cantidad que deberá ingresar don ... a la empresa contratista en la entidad bancaria ..., sucursal ..., número de cuenta ...

V. La obra será ejecutada en el plazo de ... meses, a contar desde la fecha de la firma de este contrato.

VI. Si a la finalización del plazo anterior, la obra no estuviese terminada, la empresa contratista deberá pagar la sanción de ... euros por día en que incurra en demora.

VII. La empresa ... es responsable del trabajo realizado por las personas que ocupare en la obra.

VIII. La empresa contratista deberá cumplir las leyes laborales en relación con el personal contratado.

IX. La empresa contratista deberá dejar preparada la obra para que don ... pueda, al término de la obra, llevar a cabo la conexión de las acometidas de los servicios de luz, gas y agua.

X. Don ... puede desistir de la construcción de la obra aunque se haya empezado, indemnizando a la empresa contratista de todos sus gastos, trabajo y utilidad que pudiere obtener de ella.

XI. Si la empresa contratista incumple totalmente la realización de las obras, podrá rescindirse el contrato y dicha empresa deberá indemnizar a don ... de los daños y los perjuicios.

XII. Todos los gastos derivados del presente contrato correrán a cuenta de la empresa contratista.

XIII. Para cualquier problema acerca del cumplimiento de este contrato, se someten ambas partes a la jurisdicción de los tribunales de ..., renunciando expresamente al fuero propio.

Dando fe firman las partes el presente contrato de OBRAS, en la fecha arriba indicada.

[firma de las partes y de los testigos]

81 | Contrato de arrendamiento de servicios

En ..., a ... de ... de 20...

REUNIDOS

Don ..., mayor de edad, con DNI ..., vecino de ..., con domicilio en la calle ..., de una parte, y don ..., mayor de edad, con DNI ..., vecino de ..., con domicilio en la calle ..., de otra,

ESTIPULAN:

Celebrar un contrato de ARRENDAMIENTO DE SERVICIOS, atendiendo a las siguientes

CLÁUSULAS:

I. Don ... contrata los servicios de don ...

II. La actividad que debe prestar don ... es la de ...

III. Como contraprestación a los servicios prestados, don ... deberá abonar la cantidad de ... euros a don ..., pagadera en tres plazos, en las siguientes fechas:

[enumerar las fechas]

IV. En dichas fechas se efectuará el cobro, ingresando el importe en la cuenta corriente ... que don ... tiene abierta en la entidad bancaria ..., sucursal ...

V. La fecha de inicio de prestación de los servicios es ..., y la de finalización, ...

VI. Don ... se obliga, por el presente, a prestar los servicios referidos en el tiempo y la forma establecidos.

VII. Para la resolución de cualquier duda que surja sobre la aplicación o la interpretación del presente contrato las partes se someten a la jurisdicción de los tribunales de ... con renuncia al fuero propio que les correspondiera.

Manifiestan su conformidad firmando don ... y don ... el presente contrato de arrendamiento de servicios, en la fecha arriba indicada.

[firma de las partes y de los testigos]

82 Contrato de compraventa de bienes inmuebles con reserva de dominio

En ..., a ... de ... de 20...

REUNIDOS

Don ..., mayor de edad, con DNI ..., vecino de ..., con domicilio en la calle ..., de una parte, y don ..., mayor de edad, con DNI ..., vecino de ..., con domicilio en la calle ..., de otra, acuerdan celebrar un contrato de COMPRAVENTA, atendiendo a las siguientes

ESTIPULACIONES:

I. Don ... es propietario de la finca urbana ..., escriturada y libre de cargas y gravámenes, corriente en el pago de contribuciones e impuestos.

II. En este acto el comprador toma posesión de la vivienda adquirida por compraventa a su total satisfacción.

III. El precio estipulado de la vivienda es de ... euros, pagaderos en ... mensualidades de ... euros, comprensivas del principal y de los intereses, de un ... % anual.

IV. El cobro se efectuará el primer día de cada mes, ingresando el comprador el importe en la cuenta corriente ... que el vendedor tiene abierta en la entidad bancaria ..., sucursal ...

V. La vivienda descrita seguirá siendo del vendedor, adquiriendo la propiedad el comprador cuando haya satisfecho el precio en su totalidad.

VI. Si no fuesen satisfechos por el comprador ... pagos consecutivos, podrá el vendedor resolver el contrato, debiendo el comprador restituir al vendedor en la posesión del objeto del mismo, y debiendo el vendedor devolver las sumas recibidas si la vivienda estuviese en perfecto estado, menos un porcentaje del ... % del precio, a modo de indemnización.

VII. El vendedor se obliga a la evicción y el saneamiento de esta venta conforme a derecho.

VIII. El comprador pagará los gastos de escritura, así como los gastos y los impuestos derivados del presente contrato.

IX. Por el presente el comprador se subroga en todos aquellos derechos que le corresponden al vendedor.

Manifiestan su conformidad firmando las partes el presente contrato de compraventa, en la fecha arriba indicada.

[firma de las partes y de los testigos]

83 | Contrato de compraventa de bienes muebles

En ..., a ... de ... de 20...

REUNIDOS

Don ..., mayor de edad, con DNI ..., vecino de ..., con domicilio en la calle ..., de una parte, y don ..., mayor de edad, con DNI ..., vecino de ..., con domicilio en la calle ..., de otra,

ACUERDAN:

Celebrar un contrato de COMPRAVENTA, atendiendo a las siguientes

CLÁUSULAS:

I. Don ... es propietario de los objetos que a continuación se detallan:

[enumeración de los objetos]

II. Los precios estipulados para cada uno de los objetos son los siguientes:

[enumeración de los objetos con sus respectivos precios]

III. El importe total, obtenido de la suma de los precios de todas las cosas objeto de la compraventa, es de ... euros.

IV. Las cosas objeto de la compraventa no están sujetas a reserva de dominio.

V. En este mismo acto el comprador entrega al vendedor la cantidad correspondiente al importe total, con lo que satisface así la obligación pecuniaria.

VI. El vendedor se obliga a la evicción y saneamiento.

Y manifestando su conformidad firman las partes el presente contrato de compraventa, en la fecha arriba indicada.

[firma de las partes y de los testigos]

84 Contrato de compraventa de bienes muebles a plazos

En ..., a ... de ... de 20...

REUNIDOS

Don ..., mayor de edad, con DNI ..., vecino de ..., con domicilio en la calle ..., de una parte, y don ..., mayor de edad, con DNI ..., vecino de ..., con domicilio en la calle ..., de otra,

ACUERDAN:

Celebrar un contrato de COMPRAVENTA, atendiendo a las siguientes

CLÁUSULAS:

I. Don ... es propietario de los objetos detallados en el anexo 1 [adjuntar anexo con enumeración de los objetos].

II. Los precios estipulados para cada uno de los objetos son:

[detalle de los precios]

III. El importe total, obtenido de la suma de los precios de todas las cosas objeto de la compraventa, es de ... euros, pagaderos en seis mensualidades.

IV. En este mismo acto el comprador entrega al vendedor la cantidad de ... euros, siendo el resto del precio un total de ... euros, pagadero en seis plazos, en las siguientes fechas:

[especificar fechas de vencimiento]

V. En dichas fechas se efectuará el cobro, ingresando el comprador el importe en la cuenta corriente n.º ... que el vendedor tiene abierta en la entidad bancaria ..., sucursal ...

VI. Si no fuesen satisfechos por el comprador ... pagos consecutivos, se considerarán vencidos todos, y este deberá abonar el precio aplazado en su totalidad.

VII. Este contrato se inscribirá en el registro de venta a plazos conforme a derecho.

VIII. El vendedor se obliga a la evicción y al saneamiento de esta venta conforme a derecho.

Y dando fe firman las partes el presente contrato de compraventa, en la fecha arriba indicada.

[firma de las partes y de los testigos]

85 | Contrato de compraventa de bienes muebles con reserva de dominio

REUNIDOS

Don ..., mayor de edad, con DNI ..., vecino de ..., con domicilio en la calle ..., de una parte, y don ..., mayor de edad, con DNI ..., vecino de ..., con domicilio en la calle ..., de otra, acuerdan celebrar un contrato de COMPRAVENTA,

CONVINIENDO:

I. Don ... es propietario de los siguientes objetos:

[enumeración de los objetos]

II. Los precios estipulados para cada uno de los objetos son los siguientes:

[detalle de los precios]

III. El importe total, obtenido de la suma de los precios de todas las cosas objeto de la compraventa, es de ... euros, pagadero en ... mensualidades, en las siguientes fechas:

[especificar vencimientos de los plazos]

IV. El comprador se obliga a pagar en las fechas anteriores el importe de ... euros en la cuenta corriente número ... que el vendedor tiene abierta en la entidad bancaria ..., sucursal ...

V. Si no fuesen satisfechos por el comprador ... pagos consecutivos, podrá el vendedor resolver el contrato, debiendo el comprador devolver las cosas objeto del mismo.

VI. En el supuesto contemplado en el apartado anterior, el vendedor debe devolver las sumas recibidas si los objetos se conservan en perfecto estado, menos un porcentaje del ... % del precio.

VII. El vendedor se obliga a la evicción y al saneamiento de esta venta conforme a derecho.

VIII. El vendedor pagará los gastos de escritura y demás expensas derivados del presente contrato.

Y dando fe firman el comprador y el vendedor el presente contrato de compraventa.

En ..., a ... de ... de 20...

[firma de las partes y de los testigos]

86 | Contrato de compraventa de vehículo usado

En ..., a ... de ... de 20...

Vendedor:
Don ..., con DNI ... y domicilio en ...

Comprador:
Don ..., con DNI ... y domicilio en ...

Vehículo:
Marca ..., modelo ...
Matrícula ..., n.º de bastidor ...
Kilómetros ...

Reunidos vendedor y comprador en la fecha del encabezamiento manifiestan haber acordado formalizar en este documento CONTRATO DE COMPRAVENTA del vehículo automóvil que se especifica, en las siguientes

CONDICIONES:

I. El vendedor vende al comprador el vehículo de su propiedad anteriormente especificado por la cantidad de ... euros, sin incluir los impuestos correspondientes, que serán a cargo del comprador.

II. El vendedor declara que no pesa sobre el vehículo ninguna carga o gravamen ni impuesto, deuda o sanción pendientes de abono en la fecha de la firma de este contrato, comprometiéndose en caso contrario a regularizar tal situación a su exclusivo cargo.

III. El vendedor se compromete a facilitar los distintos documentos relativos al vehículo, así como a firmar cuantos documentos aparte de este sean necesarios para que el vehículo quede correctamente inscrito a nombre del comprador en los correspondientes organismos públicos, siendo todos los gastos a cargo de este último.

IV. Una vez realizada la correspondiente transferencia en Tráfico, el vendedor entregará materialmente al comprador la posesión del vehículo, haciéndose este cargo de cuantas responsabilidades puedan contraerse por la propiedad del vehículo, y su tenencia y uso a partir de dicho momento de la entrega.

V. El vehículo dispone de seguro en vigor hasta fecha ... y se encuentra al corriente respecto a las obligaciones derivadas de la ITV (inspección técnica de vehículos).

VI. El comprador declara conocer el estado actual del vehículo, por lo que exime al vendedor de garantía por vicios o defectos que surjan con posterioridad a la entrega, salvo aquellos ocultos que tengan su origen en dolo o mala fe del vendedor.

VII. Para cualquier litigio que surja entre las partes de la interpretación o el cumplimiento del presente contrato, estas, con expresa renuncia al fuero que pudiera corresponderles, se someterán a los juzgados y los tribunales de ...

Y para que así conste firman el presente contrato de compraventa, por triplicado, en la fecha y lugar arriba indicados.

[firma de las partes]

87 | Contrato de sociedad civil universal de ganancias

En ..., a ... de ... de 20...

REUNIDOS

Don ..., mayor de edad, con DNI ..., con domicilio en la calle ..., de una parte, y don ..., mayor de edad, con DNI ..., con domicilio en la calle ..., de otra, acuerdan celebrar un contrato de SOCIEDAD, conforme a lo establecido en el art. 1665 y siguientes del Código Civil, atendiendo a las siguientes

ESTIPULACIONES:

I. Se constituye entre las partes una sociedad universal de ganancias.

II. Comenzará con fecha ... y terminará con fecha ...

III. El nombre de dicha sociedad es el de ... y su domicilio social lo tendrá en ...

IV. El objeto de la sociedad es ...

V. La sociedad universal de ganancias comprende todo lo que adquieran los socios por su industria o trabajo mientras dure la sociedad.

VI. Don ... aporta a la sociedad la suma de ... euros, y don ..., la suma de ... euros. Los bienes muebles e inmuebles que cada socio posee al tiempo de la celebración del contrato continúan siendo de dominio particular, pasando sólo a la sociedad el usufructo.

VII. Se nombra administrador, para ejercer todos los actos administrativos, a don ...

VIII. La sociedad podrá ser prorrogada por consentimiento expreso o tácito de ambos socios.

IX. Para el caso de que uno de los socios fallezca, la sociedad continuará con el heredero.

Y manifestando su conformidad firman las partes el presente contrato de SOCIEDAD, en la fecha arriba indicada.

[firma de las partes y de los testigos]

88 | Contrato de sociedad civil particular

En ..., a ... de ... de 20...

REUNIDOS

Don ..., mayor de edad, con DNI ..., vecino de ..., con domicilio en la calle ..., de una parte, y don ..., mayor de edad, con DNI ..., vecino de ..., con domicilio en la calle ..., de otra,

ACUERDAN:

Celebrar un contrato de SOCIEDAD, conforme a lo establecido en el art. 1665 y siguientes del Código Civil, atendiendo a las siguientes

ESTIPULACIONES:

I. Se constituye entre las partes una sociedad particular.

II. El nombre de dicha sociedad es ... y su domicilio social está sito en ...

III. El objeto de la sociedad es ...

IV. La sociedad comenzará con fecha ... y terminará con fecha ...

V. Don ... aporta a la sociedad la suma de ... euros, y don ..., la suma de ... euros.

VI. Las pérdidas y las ganancias se repartirán proporcionalmente a lo aportado por cada parte.

VII. Se nombra administrador, para ejercer todos los actos administrativos, a don ...

VIII. La sociedad podrá ser prorrogada por consentimiento expreso o tácito de ambos socios.

IX. En el caso de que uno de los socios fallezca, la sociedad continuará con el heredero.

Y dando fe firman las partes el presente contrato de SOCIEDAD, en la fecha arriba indicada.

[firma de las partes y de los testigos]

89 | Contrato de sociedad civil universal de todos los bienes presentes

En ..., a ... de ... de 20...

REUNIDOS

Don ..., mayor de edad, con DNI ..., vecino de ..., con domicilio en la calle ..., de una parte, y don ..., mayor de edad, con DNI ..., vecino de ..., con domicilio en la calle ..., de otra,

CONVIENEN:

Celebrar un contrato de SOCIEDAD, conforme a lo establecido en el art. 1665 y siguientes del Código Civil, atendiendo a las siguientes

ESTIPULACIONES:

I. Se constituye entre las partes una sociedad universal de todos los bienes presentes.

II. El nombre de dicha sociedad es ... y su domicilio social está sito en ...

III. El objeto de la sociedad es ...

IV. La sociedad comenzará con fecha ... y terminará con fecha ...

V. Don ... aporta a la sociedad la cantidad de ... euros y los bienes de su propiedad, que son los siguientes:

[enumeración de cada uno de los bienes]

Así, la suma de lo aportado por esta parte asciende al total de ... euros.

VI. Don ... aporta a la sociedad la cantidad de ... euros y los bienes de su propiedad, que son los siguientes:

[enumeración de cada uno de los bienes]

Así, la suma de lo aportado por esta parte asciende al total de ... euros.

VII. Todos los bienes anteriores pasan a ser por el presente propiedad común de los socios, así como todas las ganancias que adquieran con ellos. En ellos no se incluyen los bienes que los socios adquieran posteriormente por herencia, legado o donación, aunque sí sus frutos.

VIII. Las pérdidas y las ganancias se repartirán proporcionalmente a lo aportado por cada parte.

IX. Se nombra administrador, para ejercer todos los actos administrativos, a don ...

X. La sociedad podrá ser prorrogada por consentimiento expreso o tácito de ambos socios.

XI. Para el caso de que uno de los socios fallezca, la sociedad continuará con el heredero.

Y dando fe firman las partes el presente contrato de SOCIEDAD, en la fecha arriba indicada.

[firma de las partes y de los testigos]

90 | Contrato de agencia

REUNIDOS

Don ..., gerente de la empresa ..., constituida en escritura pública otorgada ante don ..., notario de ..., e inscrita en el registro mercantil con fecha ..., libro ..., tomo ..., folio ..., con CIF n.º ... y con domicilio social en ..., con poderes de representación conforme a escritura pública autorizada por don ..., notario de ..., con fecha ..., de una parte, y

Don ..., mayor de edad, vecino de ..., con domicilio en ... y titular del DNI n.º ..., en adelante agente, de otra parte,

Acuerdan celebrar el presente CONTRATO DE AGENCIA, de acuerdo con las siguientes

ESTIPULACIONES:

I. La empresa ... nombra a don ... agente, el cual será su representante para la actividad ... conforme a:

II. Don ... se obliga frente a la empresa ... a promover y concluir la actividad ... por cuenta ajena.

III. La actuación por medio de subagentes requerirá autorización expresa del empresario.

IV. El agente no podrá desarrollar su actividad profesional por cuenta de varios empresarios durante la vigencia del presente contrato.

V. El agente se obliga a actuar lealmente y de buena fe velando por los intereses del empresario por cuya cuenta actúa, en el ejercicio de la actividad encomendada.

VI. Don ... se obliga a comunicar a la empresa ... toda la información de que disponga cuando sea necesaria para la buena gestión de los actos o las operaciones cuya promoción y conclusión se le encomiendan por el presente contrato, así como, en particular, la relativa a la solvencia de los terceros con los que existan operaciones pendientes de conclusión o ejecución.

VII. El agente se obliga a desarrollar su actividad conforme a las instrucciones señaladas en el apartado primero del presente contrato y aquellas recibidas de la empresa ..., siempre que no afecten a su independencia.

VIII. El agente se obliga a recibir en nombre del empresario toda clase de reclamaciones de terceros acerca de defectos o vicios de calidad o cantidad de los bienes vendidos y de los servicios prestados como consecuencia de las operaciones promovidas, aunque no se hubiesen concluido.

IX. La empresa ... se obliga a poner a disposición del agente los muestrarios, los catálogos, las tarifas y demás documentos necesarios para el ejercicio de la actividad encomendada.

X. La empresa ... se obliga a facilitar al agente todas las informaciones necesarias para el desempeño por el agente de la actividad encomendada.

XI. La empresa ... abonará al agente como remuneración la cantidad de ... euros, más una comisión consistente en el ... % de las cantidades obtenidas por la empresa ..., como consecuencia de las operaciones concluidas por la intervención del agente durante la vigencia del presente contrato con personas respecto a las cuales se hubieran promovido, y en su caso concluido, una operación de naturaleza análoga.

XII. Por las operaciones concluidas tras la terminación de la vigencia del presente contrato, el agente tendrá derecho a la comisión cuando concurra alguna de las circunstancias siguientes:

— Que el acto o la operación se deban principalmente a la actividad desarrollada por el agente durante la vigencia del contrato, siempre que se hubieran concluido dentro de los ... meses siguientes a partir de la extinción del contrato.
— Que la empresa ... o el agente hayan recibido el encargo o pedido antes de la extinción del contrato de agencia, siempre que el agente hubiera tenido derecho a percibir la comisión de haberse concluido el acto o la operación de comercio durante la vigencia del contrato.
— Que la comisión no corresponda a un agente anterior, salvo que, en atención a las circunstancias concurrentes, fuese equitativo distribuir la comisión entre ambos agentes.

XIII. La empresa ... se obliga a abonar al agente los gastos que le originen el desempeño de la actividad encomendada, siempre que medie factura o recibos justificativos.

XIV. El presente contrato de agencia se pacta con una duración de ... años a contar desde la fecha de hoy. Si tras la finalización del plazo de duración, las partes siguen ejecutando el presente contrato, se entenderá que el mismo se transforma en contrato de duración indefinida.

XV. Tanto la empresa ... como don ... podrán dar por finalizado el contrato en cualquier momento, sin necesidad de preaviso, en las siguientes circunstancias:

— En el caso de que la otra parte incumpla, total o parcialmente, las obligaciones establecidas en el presente contrato y en la ley.
— Si la otra parte es declarada en estado de quiebra o se ha admitido a trámite su solicitud de concurso de acreedores.

En ambos casos se entenderá que el contrato finaliza a la recepción de la notificación escrita en la que conste la voluntad de darlo por extinguido.

XVI. El presente contrato se extinguirá por muerte o declaración de fallecimiento del agente.

XVII. A la extinción del presente contrato de agencia, si el agente hubiese aportado nuevos clientes a la empresa ... o incrementado sensiblemente las operaciones con la clientela preexistente, tendrá derecho a una indemnización si su actividad anterior puede continuar produciendo ventajas sustanciales a la empresa ..., y resulta equitativo según las circunstancias concurrentes, sin que pueda la indemnización exceder del importe medio anual de las remuneraciones percibidas por el agente durante el periodo de duración del contrato.

XVIII. El agente no tendrá derecho a la indemnización por clientela en los siguientes supuestos:

— Cuando la empresa ... hubiese extinguido el contrato por causa de incumplimiento de las obligaciones contractuales o legales establecidas para el agente.
— Cuando el agente hubiese denunciado el contrato, salvo que la denuncia tuviera como causa circunstancias imputables a la empresa ... o se fundara en la edad, la invalidez o la enfermedad del agente y no pudiera exigírsele razonablemente la continuidad de sus actividades.
— Cuando, con el consentimiento de la empresa, el agente hubiese cedido a un tercero los derechos y las obligaciones de que era titular en virtud del presente contrato.

XIX. La acción para reclamar la indemnización por clientela prescribe al año a contar desde la extinción del presente contrato.

XX. A la extinción del contrato de agencia, el agente no podrá desarrollar actividades similares a la encomendada en el presente contrato por un plazo de ... años en la zona geográfica de ...

XXI. Para la resolución de cualquier problema que surja en la interpretación o en la aplicación del presente contrato será competente el juez del domicilio del agente.

Manifestando su conformidad firman don ..., como gerente de la empresa ..., y don ..., por duplicado y a un solo efecto, el presente contrato de AGENCIA, en ..., a ... de ... de 20...

[firma de las partes]

91 Contrato de cesión de créditos

REUNIDOS

Don ..., gerente de la empresa ..., constituida en escritura pública otorgada ante don ..., notario de ..., e inscrita en el registro mercantil con fecha ..., libro ..., tomo ..., folio ..., con CIF n.º ... y con domicilio social en ..., calle ..., con poderes de representación conforme a escritura pública autorizada por don ..., notario de ..., con fecha ..., a partir de ahora *cedente*, de una parte, y

Don ..., mayor de edad, vecino de ..., con domicilio en ... y DNI n.º ..., a partir de ahora *cesionario*, de otra parte,

ACUERDAN:

Celebrar el presente CONTRATO DE CESIÓN DE CRÉDITOS, de acuerdo con las siguientes

ESTIPULACIONES:

I. Don ..., cedente, es acreedor de don ... por la cantidad de ... euros, que devengan un interés anual del ... %.

II. Don ..., por el presente contrato, cede su derecho al crédito a don ..., cesionario, el cual acepta.

III. El cesionario recibe del cedente los documentos de crédito firmados por don ...

IV. El cedente responde frente al cesionario de la legitimidad del crédito y de la personalidad con que hace la cesión, así de la solvencia de don ... y solidariamente de su deuda.

V. El cedente se obliga a notificar notarialmente en el día de hoy la transferencia del crédito a don ...

VI. Para resolver cualquier cuestión derivada del presente contrato, las partes se someten expresamente a los tribunales de ..., con renuncia del fuero propio.

Manifestando su conformidad firman el presente contrato de cesión de créditos por duplicado y a un solo efecto, don ..., como gerente de la empresa ..., y don ...

En ..., a ... de ... de 20...

[firma de las partes]

92 | Contrato de fianza

REUNIDOS

Don ..., mayor de edad, vecino de ..., con domicilio en ... y titular del DNI n.º ..., a partir de ahora *deudor*, de una parte, y

Don ..., mayor de edad, vecino de ..., con domicilio en ... y titular del DNI n.º ..., a partir de ahora *fiador*, de otra, acuerdan celebrar el presente CONTRATO DE FIANZA MERCANTIL, de acuerdo con las siguientes

ESTIPULACIONES:

I. Por el presente contrato se garantiza mediante fianza la compraventa realizada por el deudor, don ..., de la mercancía detallada en el anexo 1 [adjuntar anexo].

II. Don ..., fiador, se obliga personal y solidariamente al pago a la entidad ... de todas las cantidades aplazadas, renunciando al beneficio de excusión.

III. Las fechas en las que vencen los pagos aplazados son las que a continuación se detallan:

[detalle de las fechas]

IV. El fiador no responde de los gastos que deriven del impago del deudor, corriendo tales gastos de cuenta de este.

V. Se acuerda por el presente constituir hipoteca a favor del fiador sobre el siguiente bien: ..., propiedad del deudor, para que satisfaga los gastos que se deriven.

VI. El deudor cancelará la hipoteca cuando finalicen los pagos y mediando requerimiento previo y fehaciente del fiador.

VII. Para la resolución de cualquier problema que surja en la interpretación o en la aplicación del presente contrato, las partes se someten expresamente a los tribunales de ..., con renuncia al fuero propio.

Dando fe firman don ... y don ... el presente contrato de FIANZA MERCANTIL, en ..., a ... de ... de 20...

[firma de las partes]

93 | Contrato de *leasing*

REUNIDOS

Don ..., gerente de la empresa ..., constituida en escritura pública otorgada ante don ..., notario de ..., e inscrita en el registro mercantil con fecha ..., libro ..., tomo ..., folio ..., con CIF n.º ... y con domicilio social en ..., calle ..., con poderes de representación conforme a escritura pública autorizada por don ..., notario de ..., con fecha ..., a partir de ahora *arrendador*, de una parte, y

Don ..., gerente de la empresa ..., constituida en escritura pública otorgada ante don ..., notario de ..., e inscrita en el registro mercantil con fecha ..., libro ..., tomo ..., folio ..., con CIF n.º ..., y con domicilio social en ..., calle ..., con poderes de representación conforme a escritura pública autorizada por don ..., notario de ..., con fecha ..., a partir de ahora *arrendatario*, de otra parte,

Acuerdan celebrar el presente CONTRATO DE *LEASING*, de acuerdo con las siguientes

ESTIPULACIONES:

I. La empresa ... entrega en arriendo a la empresa ... la maquinaria de su propiedad especificada en el anexo 1 del presente contrato para la actividad ..., sin que la misma pueda ser utilizada para fines distintos sin autorización expresa de la empresa arrendadora.

II. La empresa arrendataria inspecciona la maquinaria confirmando que se encuentra en perfecto estado para el uso al que va a ser destinada.

III. El presente contrato comienza el día de hoy, finalizando en fecha ..., siendo prorrogable por igual periodo de tiempo de forma tácita, salvo que alguna de las partes manifieste en el plazo de ... meses anterior a la finalización del contrato su intención de no prorrogarlo.

IV. El precio del arrendamiento es de ... euros, que se fracciona en ... mensualidades, abonando la empresa ... a la empresa arrendadora la cantidad de ... mensuales, en los cinco primeros días de cada mes, ingresando dicha suma en la cuenta ... que la empresa ... tiene abierta en la entidad bancaria ..., sucursal ...

V. En este acto la empresa arrendataria entrega a la arrendadora la cantidad de ... euros correspondientes a la primera mensualidad, sirviendo el presente contrato como carta de pago.

VI. Por el presente contrato la empresa ... entrega a la compañía arrendadora la cantidad de ... euros en garantía del cumplimiento de las obligaciones. Dicha suma se reintegrará cuando la empresa arrendataria devuelva la maquinaria en buen estado, habiendo cumplido su obligación del pago de las rentas.

VII. La empresa arrendataria se obliga a cuidar diligentemente de la maquinaria y a conservarla en perfecto estado para su uso, corriendo de su cargo los gastos de reparación y mantenimiento necesarios.

VIII. Si a la finalización de la vigencia del presente contrato la empresa arrendataria ha cumplido con la obligación de pago de las mensualidades, podrá ejercitar el derecho de opción de compra de la maquinaria relacionada en el anexo 1.

IX. Si la empresa arrendataria opta por ejercer el derecho de opción de compra, deberá abonar a la empresa arrendadora el precio residual de ... euros.

X. La empresa arrendataria se obliga a suscribir póliza de seguro sobre la maquinaria detallada en el anexo 1 del presente contrato contra posibles riesgos, en la que figurará como tomadora del seguro, constando la empresa ... como beneficiaria, corriendo de cuenta de la empresa arrendataria el importe de las primas y los incrementos futuros.

XI. El arrendador podrá rescindir el presente contrato si el arrendatario incumple su obligación de pago de las mensualidades establecidas u otra obligación que derive del presente contrato.

XII. Para resolver cualquier cuestión derivada del presente contrato las partes se someten expresamente a los tribunales de ..., con renuncia del fuero propio.

Conformes firman el presente contrato de *leasing*, por duplicado y a un solo efecto, don ..., como gerente de la empresa ..., y don ..., como gerente de la empresa ...

En ..., a ... de ... de 20...

[firma de las partes]

94 | Contrato de franquicia

REUNIDOS

Don ..., gerente de la empresa ..., en lo sucesivo *empresa*, constituida en escritura pública otorgada ante don ..., notario de ..., e inscrita en el registro mercantil con fecha ..., libro ..., tomo ..., folio ..., con CIF n.º ... y con domicilio social en ..., calle ..., con poderes de representación conforme a escritura pública autorizada por don ..., notario de ..., con fecha ..., en lo sucesivo *franquiciadora*, de una parte,

Don ..., de profesión ..., con DNI n.º ... y domicilio en ..., calle ..., en lo sucesivo *franquiciado*, de otra parte, acuerdan celebrar el presente CONTRATO DE FRANQUICIA, de acuerdo con las siguientes

ESTIPULACIONES:

I. Por el presente contrato la empresa ... franquiciadora se obliga a permitir al franquiciado el uso de sus signos distintivos, consistentes en ..., para su actividad comercial.

II. Don ..., franquiciado, se obliga al pago de la cantidad de ... euros iniciales, que abona el día de hoy, y al abono mensual de un porcentaje del ... % de los ingresos obtenidos cada mes en los cinco primeros días del mes siguiente.

III. Don ... se obliga por el presente contrato a la aplicación de los sistemas de comercialización del franquiciador conforme a las siguientes instrucciones: ...

IV. La empresa ... se obliga a prestar al franquiciado la asistencia técnica necesaria para que utilice su sistema de comercialización, consistente en ...

V. Don ... se obliga a mantener un *stock* de productos adecuado para el perfecto desempeño de su actividad comercial, así como los medios necesarios para ello.

VI. La empresa ... suministrará mensualmente, en los cinco primeros días de cada mes, los productos siguientes al franquiciador: ...

VII. El franquiciado se obliga a observar las instrucciones del franquiciador conforme a la cláusula tercera del presente contrato.

VIII. La empresa ... se reserva el derecho de supervisar y controlar la actividad del franquiciado en su labor comercial para cuidar de que se mantenga el nivel de calidad habido hasta el día de hoy.

IX. El franquiciado se obliga a informar a la empresa ... acerca de la marcha de su actividad mensual con la periodicidad que la empresa estime conveniente.

X. Para resolver cualquier cuestión derivada del presente contrato las partes se someten expresamente a los tribunales de ..., con renuncia del fuero propio.

Dando fe firman el presente contrato de franquicia don ..., como gerente de la empresa ..., y don ...

En ..., a ... de ... de 20...

[firma de las partes]

95 | Contrato de *renting*

REUNIDOS

Don ..., gerente de la empresa ..., constituida en escritura pública otorgada ante don ..., notario de ..., e inscrita en el registro mercantil con fecha ..., libro ..., tomo ..., folio ..., con CIF n.º ... y con domicilio social en ..., calle ..., con poderes de representación conforme a escritura pública autorizada por don ..., notario de ..., con fecha ..., a partir de ahora *arrendador*, de una parte, y

Don ..., gerente de la empresa ..., constituida en escritura pública otorgada ante don ..., notario de ..., e inscrita en el registro mercantil con fecha ..., libro ..., tomo ..., folio ..., con CIF n.º ... y con domicilio social en ..., calle ..., con poderes de representación conforme a escritura pública autorizada por don ..., notario de ..., con fecha ..., a partir de ahora *arrendatario*, de otra,

acuerdan celebrar el presente CONTRATO DE *RENTING*, de acuerdo con las siguientes

ESTIPULACIONES:

I. La empresa ... entrega en arriendo a la empresa ... la maquinaria de su propiedad especificada en el anexo 1 del presente contrato para la actividad ..., sin que la misma pueda ser utilizada para fines distintos sin autorización expresa de la empresa arrendadora.

II. La empresa arrendataria inspecciona la maquinaria confirmando que se encuentra en perfecto estado para el uso al que va a ser destinada.

III. El presente contrato comienza el día de hoy y finalizará en fecha ...

IV. El precio del arrendamiento es de ... euros, que se fracciona en ... mensualidades, abonando la empresa ... a la compañía arrendadora la cantidad de ... euros mensuales, en los cinco primeros días de cada mes, e ingresando dicha suma en la cuenta ... que la empresa ... tiene abierta en la entidad bancaria ..., sucursal ...

V. Por el presente contrato la empresa ... entrega a la compañía arrendadora la cantidad de ... euros en garantía del cumplimiento de las obligaciones. Dicha suma se reintegrará cuando la empresa arrendataria devuelva la maquinaria en buen estado, habiendo cumplido su obligación del pago de las rentas.

VI. La empresa arrendadora se obliga al mantenimiento de la maquinaria, y al de los seguros y los impuestos. Cuando la reparación requiera de un mínimo de ... días, la empresa arrendadora se obliga a reemplazar la máquina por otra de similares características temporalmente hasta que finalice la reparación, o definitivamente.

VII. La empresa arrendadora se obliga a la evicción y al saneamiento por vicios ocultos.

VIII. Si la empresa arrendataria incumple su obligación de pago de las rentas, la empresa arrendadora podrá exigirlas manteniendo la vigencia del contrato o podrá pedir la resolución del mismo con la restitución de la maquinaria y exigiendo el pago de las cantidades de las rentas vencidas.

IX. Para resolver cualquier cuestión derivada del presente contrato las partes se someten expresamente a los tribunales de ..., con renuncia del fuero propio.

Conformes firman el presente contrato de *renting*, por duplicado y a un solo efecto, don ..., como gerente de la empresa ..., y don ..., como gerente de la empresa ...

En ..., a ... de ... de 20...

[firma de las partes]

96 | Contrato de suministro

REUNIDOS

Don ..., gerente de la empresa ..., constituida en escritura pública otorgada ante don ..., notario de ..., e inscrita en el registro mercantil con fecha ..., libro ..., tomo ..., folio ..., con CIF n.º ... y con domicilio social en ..., calle ..., con poderes de representación conforme a escritura pública autorizada por don ..., notario de ..., con fecha ..., a partir de ahora *suministrador*, de una parte, y

Don ..., gerente de la empresa ..., constituida en escritura pública otorgada ante don ..., notario de ..., e inscrita en el registro mercantil con fecha ..., libro ..., tomo ..., folio ..., con CIF n.º ... y con domicilio social en ..., calle ..., con poderes de representación conforme a escritura pública autorizada por don ..., notario de ..., con fecha ..., a partir de ahora *suministrado*, de otra parte, acuerdan celebrar el presente CONTRATO DE SUMINISTRO, de acuerdo con las siguientes

ESTIPULACIONES:

I. El suministrador fabrica las mercancías que se especifican en el anexo 1 del presente contrato.

II. El suministrador se obliga a proveer al suministrado las mercancías referidas con una periodicidad de ... meses, siendo la fecha de inicio ... y la de finalización ...

III. El presente contrato se entenderá prorrogado tácitamente si con anterioridad a la finalización del mismo ninguna de las partes pone en conocimiento de la otra su intención de no prorrogarlo. Dicha prórroga será para un plazo igual al pactado.

IV. Los precios de las mercancías son los señalados en el anexo 2 del presente contrato, debiendo abonar el suministrado al suministrador la cantidad total de ... euros en cada entrega.

V. La mercancía será transportada a cargo del suministrador desde su almacén sito en ... al almacén de la empresa ... sito en ... El suministrado deberá poner en conocimiento del suministrador cualquier cambio referente al lugar de entrega de la mercancía con una antelación mínima de diez días de la entrega. Dicho cambio debe mantenerse dentro de los límites de la provincia.

VI. Todos los gastos derivados del presente contrato serán a cuenta del suministrado.

VII. Para resolver cualquier cuestión derivada del presente contrato las partes se someten expresamente a los tribunales de ..., con renuncia del fuero propio.

VIII. Se hará la entrega de la mercancía en su totalidad, excluyéndose la posibilidad de dar una parte de la misma al comprador bajo la promesa de otorgar el resto de la mercancía.

IX. Para el caso de que el suministrado demore hacerse cargo de las mercaderías, el vendedor podrá constituir depósito judicial.

X. El suministrador es responsable del saneamiento por vicios ocultos y evicción.

XI. Si el suministrador no entregare en cualquiera de las fechas estipuladas los efectos vendidos, el suministrado podrá pedir el cumplimiento o la rescisión del contrato, en ambos casos con indemnización de los perjuicios que se le hayan irrogado por la tardanza.

XII. Si el suministrado rehúsa sin justa causa del recibo de la mercancía suministrada, el suministrador podrá pedir el cumplimiento del contrato, depositando judicialmente la mercancía, o la rescisión del contrato; en ambos casos con indemnización de los perjuicios que se le hayan irrogado.

XIII. El suministrador indemnizará al comprador de los daños, de los perjuicios y de los gastos ocasionados por el incumplimiento de sus obligaciones nacidas por el presente contrato.

XIV. Si el suministrado incumple sus obligaciones conforme al presente contrato, deberá indemnizar al vendedor de los daños, de los perjuicios y de los gastos ocasionados.

XV. La imposibilidad sobrevenida, que frustre totalmente el fin del presente contrato, será causa de resolución del contrato.

XVI. Para resolver cualquier cuestión derivada del presente contrato las partes se someten expresamente a los tribunales de ..., con renuncia del fuero propio.

Conformes firman el presente contrato de suministro don ..., como gerente de la empresa ..., y don ..., como gerente de la empresa ..., en ..., a ... de ... de 20...

[firma de las partes]

97 Contrato de publicidad

REUNIDOS

De una parte don ..., representante de la empresa ..., constituida en escritura pública otorgada ante don ..., notario de ..., e inscrita en el registro mercantil con fecha ..., libro ..., tomo ..., folio ..., con CIF n.º ... y con domicilio social en ..., calle ..., con poderes de representación conforme a escritura pública autorizada por don ..., notario de ..., con fecha ..., y

De otra parte don ..., representante de la empresa ..., constituida en escritura pública otorgada ante don ..., notario de ..., e inscrita en el registro mercantil con fecha ..., libro ..., tomo ..., folio ..., con CIF n.º ... y con domicilio social en ..., calle ..., con poderes de representación conforme a escritura pública autorizada por don ..., notario de ..., con fecha ...

Ambas partes acuerdan celebrar el presente CONTRATO DE PATROCINIO PUBLICITARIO, de acuerdo con las siguientes

ESTIPULACIONES:

I. La empresa ... se obliga a favor de la empresa ... a colaborar en la publicidad de la compañía ..., conforme a las siguientes instrucciones: ...

II. La empresa ... se obliga a abonar a la compañía ..., para el desarrollo de la actividad de ... por esta, como contraprestación a la prestación referida, la suma de ... euros, en la fecha de terminación de la prestación.

III. La duración de la campaña publicitaria será de ... meses, quedando automáticamente renovada por periodos iguales, salvo que medie preaviso de ... días de antelación por cualquiera de las partes solicitando su extinción.

IV. En todo lo no previsto en el presente contrato habrá que estar a lo dispuesto en el Código de Comercio, en las leyes especiales y en las reglas generales del Derecho común.

V. Para resolver cualquier cuestión derivada del presente contrato las partes se someten expresamente a los tribunales de ..., con renuncia del fuero propio.

Dando fe firman el presente contrato don ... y don ..., en ..., a ... de ... de 20...

[firma de las partes]

98 | Contrato de cesión de derechos de propiedad industrial

REUNIDOS

Don ..., gerente de la empresa ..., constituida en escritura pública otorgada ante don ..., notario de ..., e inscrita en el registro mercantil con fecha ..., libro ..., tomo ..., folio ..., con CIF n.º ... y con domicilio social en ..., calle ..., con poderes de representación conforme a escritura pública autorizada por don ..., notario de ..., con fecha ..., a partir de ahora *cedente*, de una parte, y

Don ..., gerente de la empresa ..., constituida en escritura pública otorgada ante don ..., notario de ..., e inscrita en el registro mercantil con fecha ..., libro ..., tomo ..., folio ..., con CIF n.º ... y con domicilio social en ..., calle ..., con poderes de representación conforme a escritura pública autorizada por don ..., notario de ..., con fecha ..., a partir de ahora *cesionario*, de otra parte,

Acuerdan celebrar el presente CONTRATO DE CESIÓN DE DERECHOS DE PROPIEDAD INDUSTRIAL, de acuerdo con las siguientes

ESTIPULACIONES:

I. La empresa ..., titular de ..., inscrita en el registro de la propiedad industrial en fecha de ..., con el número ..., cede por el presente contrato al cesionario, quien acepta, la titularidad de dichos derechos. Se acompaña copia de la certificación del registro de la propiedad industrial como anexo 1 del presente contrato.

II. La empresa ... abona en el presente acto a la compañía cedente ..., como contraprestación, la cantidad de ... euros, sirviendo este documento como carta de pago.

III. La empresa cesionaria se subroga en todos los derechos de la compañía cedente.

IV. La empresa cedente se obliga a facilitar su colaboración para que el presente contrato conste en el registro de la propiedad industrial.

V. Para la resolución de cualquier cuestión que pudiera surgir referente al presente contrato las partes se someten a los tribunales de ... con renuncia expresa al fuero propio.

Dando fe firman el presente contrato de cesión de derechos de propiedad industrial, por duplicado y a un solo efecto, don ..., como gerente de la empresa ..., y don ..., como gerente de la empresa ..., en ..., a ... de ... de 20...

[firma de las partes]

99 | Contrato de compraventa sobre muestrario

REUNIDOS

Don ..., gerente de la empresa ..., constituida en escritura pública otorgada ante don ..., notario de ..., e inscrita en el registro mercantil con fecha ..., libro ..., tomo ..., folio ..., con CIF n.º ... y con domicilio social en ..., calle ..., con poderes de representación conforme a escritura pública autorizada por don ..., notario de ..., con fecha ..., de una parte, y

Don ..., gerente de la empresa ..., constituida en escritura pública otorgada ante don ..., notario de ..., e inscrita en el registro mercantil con fecha ..., libro ..., tomo ..., folio ..., con CIF n.º ... y con domicilio social en ..., calle ..., con poderes de representación conforme a escritura pública autorizada por don ..., notario de ..., con fecha ..., de otra parte,

Acuerdan celebrar el presente CONTRATO DE COMPRAVENTA MERCANTIL SOBRE MUESTRARIO, de acuerdo con las siguientes

ESTIPULACIONES:

I. Por el presente contrato la empresa ... compra a la compañía ... las siguientes mercancías: ..., conforme al muestrario ... que se le ha puesto a su disposición.

II. Los precios de las mercaderías son los especificados en el muestrario para cada una de ellas, correspondiendo a cada una la siguiente cantidad: ... [detallar precios].

III. El precio total asciende a la cantidad de ... euros, que satisface la parte compradora en el presente acto en metálico, sirviendo este documento como carta de pago.

IV. La entrega de la mercancía se hará en el almacén del comprador sito en ..., corriendo los gastos del transporte por cuenta del vendedor.

V. La fecha de entrega de la mercancía es ...

VI. Se hará la entrega de la mercancía en su totalidad, excluyéndose la posibilidad de otorgar una parte de la misma al comprador bajo la promesa de facilitar el resto de la mercadería.

VII. Una vez entregada la mercancía la parte compradora dispone del plazo de ... días para inspeccionarla y reclamar la sustitución de aquellas mercaderías que no se ajusten a lo especificado en el muestrario.

VIII. El vendedor sustituirá las mercaderías entregadas que no se ajusten a lo establecido en el muestrario por otras que reúnan los requisitos establecidos en el mismo.

IX. Para el caso de desacuerdo entre las partes acerca de la adecuación de las mercaderías a las muestras, se nombrarán peritos por ambas partes, que decidirán si los géneros son o no de recibo. Si los peritos declarasen ser de recibo, se estimará consumada la venta, y en el caso contrario, se rescindirá el contrato, con devolución por el vendedor de la cantidad recibida como precio, sin perjuicio de la indemnización a que tenga derecho el comprador.

X. El vendedor indemnizará al comprador de los daños, de los perjuicios y de los gastos ocasionados por el incumplimiento de sus obligaciones nacidas por el presente contrato.

XI. Si el comprador incumple sus obligaciones conforme al presente contrato, deberá indemnizar al vendedor de los daños, de los perjuicios y de los gastos ocasionados.

XII. El vendedor es responsable del saneamiento por vicios ocultos y evicción.

XIII. Todos los gastos derivados del presente contrato serán de cuenta del comprador.

XIV. Para resolver cualquier cuestión derivada del presente contrato las partes se someten expresamente a los tribunales de ..., con renuncia del fuero propio.

Y en prueba de su conformidad firman el presente contrato de compraventa mercantil don ..., como gerente de la empresa ..., y don ..., como gerente de la empresa ...

En ..., a ... de ... de 20...

[firma de las partes]

100 | Contrato de compraventa

REUNIDOS

Don ..., gerente de la empresa ..., constituida en escritura pública otorgada ante don ..., notario de ..., e inscrita en el registro mercantil con fecha ..., libro ..., tomo ..., folio ..., con CIF n.º ... y con domicilio social en ..., calle ..., con poderes de representación conforme a escritura pública autorizada por don ..., notario de ..., con fecha ..., de una parte, y

Don ..., de profesión ..., con DNI n.º ... y domicilio en ..., calle ..., de otra parte,

ACUERDAN

Celebrar el presente CONTRATO DE COMPRAVENTA MERCANTIL, de acuerdo con las siguientes

ESTIPULACIONES:

I. Don ..., vendedor, es propietario de las mercancías que a continuación se especifican: ...

II. Dichas mercancías son valoradas en ... euros, según don ..., en calidad de perito de ..., precio que ambas partes aceptan.

III. En este acto el vendedor entrega las mercancías vendidas a la parte compradora.

IV. En el presente acto el comprador efectúa el abono del precio en metálico, sirviendo este documento como carta de pago.

V. El vendedor es responsable del saneamiento por vicios ocultos y evicción.

VI. Todos los gastos derivados del presente contrato serán a cuenta del comprador.

VII. Para resolver cualquier cuestión derivada del presente contrato las partes se someten expresamente a los tribunales de ..., con renuncia del fuero propio.

Manifestando conformidad, firman el presente contrato de compraventa mercantil don ..., como gerente de la empresa ..., y don ..., en ..., a ... de ... de 20...

[firma de las partes]

Impreso en España por
LIMPERGRAF, S.L.
Mogoda, 29-31
Polígon Can Salvatella
08210 Barberà del Vallés